Collection folio junior

dirigée par
Jean-Olivier Héron
et Pierre Marchand

Roald Dahl est né au pays de Galles. Ses parents étaient norvégiens. Il passe sa jeunesse en Angleterre et, à l'âge de dix-huit ans, part pour l'Afrique, où il travaille dans une compagnie pétrolière. Pendant la Seconde Guerre mondiale, il est pilote de chasse dans la Royal Air Force.

Il se marie en 1952, et a maintenant quatre enfants. Après toutes ces aventures, Roald Dahl s'est mis à écrire : des histoires souvent insolites comme *James et la grosse pêche, Charlie et la chocolaterie,* ou humoristiques comme *Fantastique Maître Renard, Les deux gredins, La potion magique de Georges Bouillon,* toutes publiées dans la collection « Folio Junior ».

La couverture de *Moi, Boy* est illustrée par **Rozier-Gaudriault**.

Ce n'est ni un nom d'emprunt ni un nom composé.

Ce sont deux noms appartenant à deux individus, un homme et une femme qui vivent ensemble, mais qui, surtout, travaillent et signent à deux mains.

Un tandem artistique, une discrétion et une délicatesse de cœur et de dessins.

La pureté et la légèreté de leur œuvre renvoie à celles de leur atelier, où le blanc et le dépouillement triomphent.

Chaque geste, chaque trait, chaque objet compte, et le superflu n'est que bavardage agaçant et dérisoire.

Papa.

Maman fiancée.

Moi à sept mois.

Le mariage de maman et papa.
Christiana.

Alfhild et moi
devant le poulailler.

Moi à six ans.

Alfhild, Astrid, moi, Nounou
et Else dans le landau.

Moi et maman.
Radyr.

St Peters.

Moi, Alfhild, Else,
en Norvège, 1924.

Alfhild, moi, Asta, Else
et les chiens. Tanby.

A bord du bateau
pour Terre-Neuve,
1933.

Asta, Else, Alfhild, moi, à Cardiff,
1927.

Maman,
1936.

Titre original :
BOY
Tales of childhood

Roald Dahl

Moi, Boy

Souvenirs d'enfance

*Traduit de l'anglais
par Janine Hérisson*

Gallimard

Pour Alfhild, Else, Asta,
Ellen et Louis

Une autobiographie, c'est un livre qu'on écrit pour raconter sa propre vie et qui déborde, en général, de toutes sortes de détails fastidieux.

Ce livre-ci n'est pas une autobiographie. L'idée ne me viendrait pas d'écrire pareil ouvrage. Par ailleurs, durant toutes mes jeunes années à l'école et juste après, ma vie a été émaillée d'incidents que je n'ai jamais oubliés. Aucun n'est très important, mais chacun d'entre eux m'a laissé une si forte impression que je n'ai jamais réussi à le chasser de mon esprit. Chacun d'entre eux, même après un laps de temps de cinquante et parfois même soixante ans, est resté gravé dans ma mémoire.

Je n'ai pas eu à les rechercher. Il m'a suffi d'effleurer la couche supérieure de ma conscience pour les y retrouver avant de les consigner par écrit. Certains furent drôles. Certains douloureux. Certains déplaisants. C'est pour cette raison, je suppose, que je me les rappelle tous de façon aussi aiguë. Tous sont véridiques.

Roald Dahl

Puisqu'il faut
un début à tout...

La cabane des enfants.

*Alfhild, Ellen et Else, Moi et Astri.
Radyr.*

Papa et maman

Mon père, Harald Dahl, un Norvégien, naquit près d'Oslo dans une petite ville du nom de Sarpsborg. Son père, mon grand-père, était un marchand relativement prospère, propriétaire à Sarpsborg d'un magasin où l'on vendait tous les produits imaginables, du fromage râpé au grillage de poulailler.

J'écris ceci en 1984, mais ce grand-père dont je parle était né, rendez-vous compte, en 1820, peu après la victoire de Wellington sur Napoléon à Waterloo. Si mon grand-père vivait encore, il aurait cent soixante-quatre ans et mon père cent vingt ans. L'un et l'autre avaient eu leurs enfants sur le tard.

Alors que mon père avait quatorze ans, ce qui remonte tout de même à plus d'un siècle, il était perché sur le toit de la maison familiale en train de remplacer des tuiles lorsqu'il glissa et tomba à terre. On le releva, le bras cassé en dessous du coude. Quelqu'un courut chercher le docteur et une demi-heure plus tard, ce personnage fit une arrivée aussi majestueuse qu'éthylique dans son buggy attelé d'un cheval. Il était tellement saoul qu'il prit le coude fracturé pour une épaule démise.

– Nous aurons vite fait de remettre ça en place! s'exclama-t-il, et on fit appel à deux hommes qui passaient dans la rue pour aider à tirer sur le membre. Ils reçurent comme consigne de tenir mon père par la taille tandis que le docteur saisissait le poignet de son bras cassé et vociférait :

– Tirez, messieurs, tirez! Tirez de toutes vos forces!

Le douleur dut être atroce. La victime hurla, et sa mère, qui assistait, horrifiée, à la scène, s'exclama : « Arrêtez! » Mais les tortionnaires avaient déjà commis de tels dégâts qu'une esquille d'os perçait à travers la peau de l'avant-bras.

Ceci se passait en 1877 et la chirurgie orthopédiste n'était pas alors ce qu'elle est aujourd'hui. On se contenta donc d'amputer le membre à hauteur du coude et, pour le restant de ses jours, mon père dut se débrouiller avec un seul bras. Fort heureusement, c'était le gauche qu'il avait perdu et, au long des années, il apprit à faire plus ou moins tout ce qu'il voulait avec les quatre doigts et le pouce de sa main droite. Il réussissait à nouer un lacet de chaussure aussi vite que vous et moi, et, pour pouvoir couper sa nourriture dans son assiette, il avait affûté la tranche d'une fourchette qui lui servait ainsi également de couteau. Il rangeait son ingénieux instrument dans un mince étui en cuir qu'il gardait dans sa poche partout où il allait. Son infirmité, disait-il volontiers, ne présentait pour lui qu'un seul inconvénient sérieux. Il lui était impossible de décapiter un œuf à la coque.

Mon père avait un an et quelques de plus que son frère Oscar mais ils étaient exceptionnellement proches l'un de l'autre et, peu après avoir achevé leurs études, ils firent une longue promenade ensemble afin de discuter de leur avenir. Ils arrivèrent à la conclusion qu'une petite ville comme Sarpsborg dans un petit pays comme la Norvège n'était pas l'endroit idéal pour faire fortune. Il leur fallait donc, décidèrent-ils, s'expatrier dans l'un des grands pays voisins, la France ou l'Angleterre, où les occasions de réussir seraient illimitées.

Leur propre père, un aimable géant de près de deux mètres, ne possédait pas l'énergie et l'ambition de ses fils, et il refusa de souscrire à ce projet absurde. Lorsqu'il leur interdit de partir, ils s'enfuirent de la maison et tous deux se débrouillèrent pour payer leur voyage en France en travaillant sur un cargo.

De Calais, ils gagnèrent Paris et une fois à Paris, ils décidèrent d'un commun accord de se séparer, chacun désirant rester indépendant de l'autre. L'oncle Oscar, pour je ne sais quelle raison, poursuivit vers l'ouest pour se rendre à La Rochelle, sur la côte atlantique, tandis que mon père, provisoirement, resta à Paris.

L'histoire de ces deux frères qui créèrent des affaires totalement différentes dans des pays différents et qui firent tous deux fortune est intéressante, mais je n'ai pas le temps de la raconter ici, si ce n'est des plus brièvement.

Commençons par l'oncle Oscar. La Rochelle était alors, et est resté, un port de pêche. A quarante ans, il était devenu l'homme le plus riche de la ville. Il possédait une flotte de chalutiers appelée : « Pêcheurs d'Atlantique », et une grande conserverie où les sardines ramenées par ses chalutiers étaient mises en conserve. Il épousa une jeune fille de bonne famille, acquit une magnifique demeure en ville ainsi qu'un grand château à la campagne. Il entreprit de collectionner les meubles Louis XV, les beaux tableaux et les livres rares, et tous ces admirables objets, ainsi que les deux propriétés, sont restés dans la famille. Je n'ai jamais vu le château à la campagne, mais je suis allé il y a deux ans dans la maison de La Rochelle et elle vaut le déplacement. Le mobilier, à lui seul, est digne d'un musée.

Tandis que l'oncle Oscar s'enrichissait à La Rochelle, son frère manchot Harald (mon propre père) ne restait pas oisif. Il avait fait la connaissance à Paris d'un autre jeune Norvégien du nom d'Aadnesen et tous deux décidèrent de s'associer et de devenir courtiers maritimes. Un courtier maritime est une personne qui fournit à un navire tout ce dont il a besoin quand il entre dans un port – combustible et nourriture, filins et peinture, savon et serviettes, marteaux et clous, ainsi que des milliers d'autres petits objets variés. Un courtier maritime, c'est une sorte de marchand qui approvisionne les navires sur une vaste échelle et le produit essentiel qu'il leur fournit, c'est le combustible destiné à l'alimentation des moteurs. Il n'en existait alors qu'une sorte : le charbon. En ces temps lointains, les moteurs diesel marins étaient inconnus. Tous les navires étaient à vapeur, et ces vieux bateaux emmagasinaient des centaines, et même des milliers de tonnes de charbon pour un seul voyage. Pour les courtiers maritimes, le charbon était de l'or noir.

Mon père et son ami de fraîche date, M. Aadnesen, le comprirent fort bien. Il était logique, décidèrent-ils, de créer leur affaire de courtage maritime dans un des plus grands ports charbonniers d'Europe. Lequel serait-ce? La réponse était simple. Le plus grand port charbonnier du monde en ce temps-là, c'était Cardiff, au pays de Galles. Les voilà donc partis pour Cardiff, ces deux jeunes ambitieux, n'emportant avec eux qu'un maigre bagage ou pas de bagage du tout. Mais mon père emmenait un bien beaucoup plus précieux que des bagages : une femme, une jeune Française du nom de Marie, qu'il avait épousée peu de temps auparavant à Paris.

A Cardiff, ils créèrent la firme de courtage maritime « Aadnesen & Dahl » et louèrent une unique pièce dans Bute Street en guise de bureau. A partir de là, la réussite qui s'ensuivit peut sembler un de ces contes de fées quelque peu exagérés, mais en vérité, elle fut le fruit du travail acharné et de l'esprit avisé des deux amis. Très vite, « Aadnesen & Dahl » fut débordé de commandes et les deux associés ne purent plus, à eux seuls, suffire à la tâche. Il fallut agrandir le bureau et engager des employés. L'argent commença alors à affluer dans les caisses. En quelques années, mon père put acheter une belle maison dans le village de Llandaff, tout près de Cardiff et ce fut là que son épouse Marie lui donna deux enfants, un garçon et une fille. Mais elle mourut tragiquement en donnant naissance au second.

Lorsqu'il eut en partie surmonté le choc et le chagrin que lui avait causé sa mort, mon père se rendit compte que ses deux enfants avaient bien besoin d'une belle-mère pour s'occuper d'eux. Et surtout, il se sentait terriblement esseulé. De toute évidence, il lui fallait essayer de trouver une autre épouse. Mais voilà qui était plus facile à dire qu'à faire pour un Norvégien vivant au pays de Galles et qui ne connaissait pas grand monde. Il décida donc de prendre des vacances et de retourner dans son pays natal, la Norvège. Qui sait, peut-être aurait-il la chance de rencontrer dans sa patrie une nouvelle et charmante épouse.

Durant l'été de 1911, alors qu'il naviguait sur un petit vapeur côtier dans l'Oslofjord, il fit la connaissance d'une jeune personne, Sofie Magdalene Hesselberg. Étant homme à reconnaître d'emblée une perle rare, il lui demanda sa main moins d'une semaine plus tard et l'épousa peu après.

Maman fiancée.

Harald Dahl emmena son épouse norvégienne en voyage de noces à Paris et regagna ensuite la maison de Llandaff. Tous deux étaient profondément amoureux l'un de l'autre et nageaient en plein bonheur. Au cours des six années qui suivirent, elle lui donna quatre enfants, une fille, une autre fille, un garçon (moi) et une troisième fille. Il y avait maintenant six enfants dans la famille, deux de la première épouse de mon père, et quatre de la seconde. Il fallait donc une maison plus vaste et plus belle, et l'argent ne manquait pas pour l'acheter.

Moi à 8 mois.

Ainsi donc en 1918 – j'avais alors deux ans – nous emménageâmes tous dans une imposante demeure campagnarde près du village de Radyr, à environ douze kilomètres à l'ouest de Cardiff. Je m'en souviens comme d'un édifice prestigieux, au toit orné de tourelles, avec de majestueuses pelouses et des terrasses sur toutes les façades. Il était environné de nombreux hectares de terres cultivables et de bois, avec un certain nombre de cottages pour le personnel. Très vite, les prairies se remplirent de vaches laitières, les porcheries de porcs et les poulaillers de poules. Il y avait plusieurs robustes chevaux de trait pour tirer les charrues et les charrettes à foin, et il y avait un laboureur, un vacher, deux jardiniers et toutes sortes de serviteurs dans la maison même. Tout comme son frère Oscar à La Rochelle, Harald Dahl avait réussi au-delà de toute espérance.

La maison à Radyr.

Mais voilà ce qui m'intéresse le plus, au sujet de ces deux frères, Harald et Oscar. Bien qu'ils fussent nés dans une petite ville d'une famille simple et sans prétention, tous deux, indépendamment l'un de l'autre, se découvrirent un intérêt passionné pour les belles choses. Dès qu'ils en eurent les moyens, ils commencèrent à remplir leurs maisons de tableaux de maîtres et de meubles de prix. En outre, mon père devint un expert en jardinage et par-dessus tout un collectionneur de plantes alpines. Ma mère me racontait les expéditions qu'ils faisaient tous deux dans les montagnes de Norvège où il la terrifiait en grimpant d'une seule main le long de falaises abruptes afin d'atteindre des touffes minuscules poussant sur quelque corniche rocheuse. C'était également un sculpteur sur bois accompli, et la plupart des cadres de miroir dans la maison avaient été faits de sa propre main. Ainsi d'ailleurs que tout le manteau de la cheminée dans le living-room, une admirable composition de fruits, de feuillages et de branches emmêlés, sculptés dans le chêne.

Son journal intime était également extraordinaire. Je possède encore l'un de ses nombreux carnets de notes de la Grande Guerre de 1914-1918. Chaque jour que Dieu fit au cours de ces cinq années de guerre, il écrivit plusieurs pages de commentaires et d'observations sur les événements de l'époque. Il écrivait à la plume et, bien que le norvégien fût sa langue maternelle, il rédigeait toujours ses notes dans un anglais impeccable.

Il soutenait une curieuse théorie sur la façon de développer le sens de la beauté dans l'esprit de ses enfants. Chaque fois que ma mère était enceinte, il attendait les trois derniers mois de sa grossesse et lui annonçait alors que les « glorieuses promenades » devaient commencer. Ces glorieuses promenades consistaient pour lui à la conduire en d'harmonieux sites campagnards et à s'y promener avec elle environ une heure par jour afin qu'elle pût s'imprégner de la splendeur environnante. D'après lui, si l'œil d'une femme enceinte observait constamment la beauté de la nature, cette beauté se transmettrait d'une façon ou d'une autre à l'esprit du bébé dans son ventre, et le bébé, quand il grandirait, aurait à son tour le goût du beau. Ce fut là le traitement que reçurent tous ses enfants avant même d'être nés.

Une lettre de papa.

Le meilleur fortifiant à la fois pour le corps et l'esprit, c'est à mon avis beaucoup d'air frais et d'exercice. Respirer à fond l'air de la mer avant le petit déjeuner, en fait avant tous les repas, et faire du saut à la corde, devraient surpasser n'importe quelle concoction chimique.

Le jardin d'enfants
1922-1923
(de six à sept ans)

Je n'avais que trois ans, en 1920, lorsque l'aînée des enfants de ma mère, Astrid, ma propre sœur, mourut d'une appendicite. Elle avait alors sept ans, l'âge même de ma propre fille aînée, Olivia, quand elle mourut de la rougeole quarante-deux ans plus tard.

Astrid était de loin la favorite de mon père. Il éprouvait pour elle une adoration sans bornes et sa mort soudaine lui ôta littéralement la parole durant de longs jours. Il était à ce point terrassé par le chagrin que lorsqu'il fut lui-même atteint d'une pneumonie, environ un mois plus tard, il ne se soucia guère de vivre ou de mourir.

Si la pénicilline avait existé en ce temps-là, ni l'appendicite ni la pneumonie n'auraient constitué une véritable menace, mais sans pénicilline ou autre traitement magique aux antibiotiques, la pneumonie, en particulier, était un mal redoutable. Le malade, vers le quatrième ou le cinquième jour, atteignait invariablement le stade que l'on appelait « la crise ». La température montait en flèche et le pouls s'accélérait dangereusement. Le patient devait lutter pour survivre. Mon père refusa de lutter. Il pensait, j'en suis sûr, à sa fille bien-aimée, et il avait envie d'aller la rejoindre au paradis. Il mourut donc. Il était âgé de cinquante-sept ans.

Ma mère avait ainsi perdu une fille et un mari en l'espace de quelques semaines. Dieu seul sait ce que fut pour elle l'épreuve de cette double tragédie. Cette jeune Norvégienne, en pays étranger, devait brusquement affronter les plus graves problèmes et les plus grandes responsabilités. Il lui fallait s'occuper de cinq enfants, trois à elle et deux de la première épouse de son mari, et, ce qui rendait la situation plus difficile encore, elle attendait un autre bébé qui devait naître deux mois plus tard. Une femme moins courageuse aurait certainement vendu la maison, fait ses bagages et serait retournée tout droit en Norvège avec ses enfants. Là-bas, dans son propre pays, son père et sa mère étaient prêts à l'aider ainsi que ses deux sœurs célibataires. Mais elle refusa cette solution de facilité. Son mari avait toujours affirmé de la façon la plus catégorique qu'il tenait à ce que tous ses enfants fassent leurs études dans des écoles anglaises. C'était les meilleures du monde, disait-il. Bien meilleures que les norvégiennes. Meilleures même que les écoles galloises, en dépit du fait qu'il vivait au pays de Galles et que son affaire y était située. Il affirmait qu'il y avait quelque chose de magique dans les établissements scolaires anglais et que l'instruction qu'ils dispensaient avait permis aux habitants d'une petite île de devenir une grande nation, de créer un vaste empire, et de produire également la plus grande littérature du monde. « Aucun de mes enfants, ne cessait-il de répéter, n'ira en classe ailleurs qu'en Angleterre. » Ma mère était bien décidée à respecter les volontés de son défunt mari.

Moi et maman.
Radyr.

Pour y parvenir, il lui faudrait quitter le pays de Galles et aller s'installer en Angleterre, mais elle n'était pas encore prête pour ce grand changement. Elle devait rester encore quelque temps au pays de Galles, où elle connaissait plusieurs personnes susceptibles de l'aider et de la conseiller, en particulier le grand ami et associé de son mari, M. Aadnesen. Mais il était néanmoins indispensable qu'elle s'installe dans une maison plus petite et d'entretien plus facile. Elle avait suffisamment de travail avec ses enfants sans avoir en plus à s'occuper d'une ferme. Aussi, dès la naissance de son cinquième enfant (encore une fille), elle vendit la vaste demeure pour aller vivre, à quelques kilomètres de là, à Llandaff. Cumberland Lodge était simplement un pavillon de banlieue, de dimensions modestes. Ce fut donc à Llandaff, deux ans plus tard, alors que j'avais six ans, que je me rendis en classe pour la première fois.

Moi à 6 ans.

L'école était un jardin d'enfants dirigé par deux sœurs, Mme Caulfield et Miss Tucker, et elle s'appelait la Maison de l'Orme. C'est étonnant à quel point on se rappelle peu de détails sur sa vie avant l'âge de sept ou huit ans. Je peux vous raconter toutes sortes de choses qui me sont arrivées à partir de l'âge de huit ans, mais pratiquement aucune avant. J'ai fréquenté la Maison de l'Orme durant tout une année, mais je ne me rappelle même pas la salle de classe. Je ne parviens pas non plus à évoquer les visages de Mme Caulfield ou de Miss Tucker, tout en étant sûr qu'ils étaient d'une douceur souriante. Je me revois vaguement, assis dans l'escalier, m'efforçant sans succès de nouer un de mes lacets de chaussures; mais après de si longues années, ce sont les seules images de l'école qui me reviennent en mémoire.

En revanche, je me rappelle parfaitement les trajets entre la maison et l'école, parce qu'ils étaient terriblement excitants. Les émotions fortes sont les seules sans doute qui marquent vraiment un petit garçon de six ans et elles restent gravées dans son esprit. Dans mon cas, l'objet de mon enthousiasme était mon nouveau tricycle. Je le prenais tous les jours pour me rendre à l'école, en compagnie de ma sœur aînée, montée elle aussi sur le sien. Aucun adulte ne nous accompagnait, et j'ai un souvenir, oh! tellement vivace, des courses que nous faisions tous les deux au milieu de la route, et des vitesses terrifiantes qu'atteignaient nos tricycles... Plus enivrant encore, lorsque nous arrivions à un tournant, nous nous penchions d'un côté pour le prendre sur deux roues. Tout ceci, il ne faut pas l'oublier, se passait au bon vieux temps où l'apparition d'une voiture à moteur dans la rue était un événement, et deux petits enfants, en route pour l'école, qui pédalaient sur leur tricycle au beau milieu de la route en poussant des cris de joie ne couraient aucun danger.

Voilà donc les souvenirs que j'ai gardés du jardin d'enfants, et qui remontent à soixante-deux ans. Ils ne sont pas nombreux, mais c'est tout ce qui me reste.

L'école de la cathédrale de Llandaff
1923-1925
(de sept à neuf ans)

Else, moi, Alfhild.

Un pique-nique avec maman.

La bicyclette
et la confiserie

J'avais sept ans lorsque ma mère décida qu'il était temps pour moi de quitter le jardin d'enfants pour entrer dans une véritable école. Par chance, il existait à environ deux kilomètres de chez nous une École préparatoire de garçons jouissant d'une excellente réputation. L'école de la cathédrale de Llandaff était située à l'ombre de la basilique dont elle portait le nom. L'une et l'autre existent toujours et ont gardé le même aspect florissant.

La cathédrale de Llandaff.

Mais là encore, j'ai peu de souvenirs des deux années que j'ai passées à l'école de la cathédrale de Llandaff, entre sept et neuf ans. Deux moments seulement sont restés fixés clairement dans ma mémoire. Le premier ne dura pas plus de cinq secondes, mais jamais je ne l'oublierai.

C'était mon premier trimestre et je traversais à pied le terrain de jeux du village pour rentrer chez moi après l'école lorsque soudain apparut un grand de douze ans, d'une classe au-dessus. Il dévalait la route à toute allure sur sa bicyclette à environ vingt mètres de moi. La route, descendant d'une colline, était en pente et quand il passa comme une flèche à ma hauteur, le garçon se mit à pédaler en arrière à toute vitesse si bien que le mécanisme de sa bicyclette en roue libre se mit à cliqueter bruyamment. Au même moment, il lâcha son guidon pour croiser négligemment les bras sur sa poitrine. Je me pétrifiai sur place pour le regarder. Quel merveilleux spectacle il offrait! Si rapide, si brave, si gracieux avec son pantalon long resserré aux chevilles par des pinces, et la casquette rouge de l'école crânement inclinée de côté! Un jour, me dis-je, un jour glorieux viendra où j'aurai moi aussi une bicyclette et je porterai un pantalon long retenu par des pinces, j'inclinerai crânement ma casquette de l'école sur ma tête et je descendrai en trombe de la colline en pédalant à l'envers, sans tenir mon guidon!

Je vous assure que si quelqu'un m'avait mis la main sur l'épaule à ce moment-là et m'avait demandé : « Quel est ton vœu le plus cher dans la vie, mon petit? Qu'est-ce que tu désires le plus au monde? Devenir médecin? Grand musicien? Peintre? Écrivain? Ou lord chancelier? », j'aurais répondu sans hésiter que ma seule ambition, mon espoir, ma raison de vivre, c'était de posséder une bicyclette comme celle-là et de descendre comme le vent la route de la colline sans tenir mon guidon. Ce serait fabuleux. J'en tremblais rien que d'y songer.

Mon deuxième et seul autre souvenir de l'école de la cathédrale de Llandaff est extrêmement bizarre. L'événement se produisit un an plus tard environ, alors que je venais d'avoir neuf ans. Je m'étais alors fait quelques amis, et lorsque je partais en classe le matin, j'étais d'abord tout seul mais je rejoignais en route quatre autres petits garçons de mon âge. Une fois l'école terminée, nous repartions ensemble, ces quatre garçons et moi, et traversions le terrain de jeux et le village lui-même pour rentrer chez nous. Chemin faisant, à l'aller et au retour, nous passions toujours devant la confiserie. Et toujours nous nous arrêtions. Nous nous attardions derrière la vitrine, d'assez petite taille, pour regarder les grands bocaux en verre remplis de calots, de réglisses, de sucres d'orge, de caramels, de boules de gomme, de bonbons acidulés et ainsi de suite... Chacun d'entre nous recevait six pence d'argent de poche par semaine, et chaque fois que nous avions quelques pièces dans nos poches, nous entrions tous les cinq et achetions pour un penny de ceci ou de cela. Mes favoris, quant à moi, étaient les frissons et les lacets de réglisse.

Frisson.

Un des autres garçons, qui s'appelait Thwaites, me déclara que je ne devrais jamais manger de lacets de réglisse. Le père de Thwaites, qui était médecin, affirmait qu'ils étaient fabriqués avec du sang de rat. Le père, ayant surpris son jeune fils en train d'en sucer, lui avait fait la leçon à ce sujet. « Tous les attrapeurs de rats du pays, lui avait dit son père, portent leurs rats à la fabrique de lacets de réglisse et le directeur leur donne deux pence par rat. Bien des chasseurs de rats sont devenus millionnaires en vendant leurs rats morts à la fabrique. »

– Mais comment transforment-ils les rats en réglisse? avait demandé le jeune Thwaites à son père.

– Ils attendent d'avoir dix mille rats, avait répondu le père, puis ils les empilent tous dans un gigantesque chaudron de cuivre brillant où ils les font bouillir pendant plusieurs heures. Deux hommes remuent le mélange en ébullition avec de longues perches et, pour finir, ils obtiennent un épais ragoût de rats fumant. Après ça, un broyeur est immergé dans le chaudron pour broyer les os; le résultat final est une sorte de bouillie épaisse appelée purée de rats.

– Oui, mais comment est-ce qu'il fabriquent avec ça des lacets de réglisse, papa? avait demandé le jeune Thwaites.

Cette question, d'après Thwaites, avait provoqué chez son père quelques instants de réflexion avant qu'il pût répondre. Il avait enfin déclaré :

– Les deux hommes qui remuaient le mélange avec de longues perches mettent maintenant des bottes en caoutchouc, descendent dans le chaudron et, armés de pelles, jettent la purée de rats brûlante sur le sol en ciment. Ils passent et repassent ensuite dessus avec un rouleau compresseur pour l'aplatir. Il en résulte une sorte de gigantesque crêpe noire et il leur suffit ensuite d'attendre qu'elle ait refroidi et se soit durcie pour la couper en lanières et obtenir ainsi des lacets de réglisse. N'en mange jamais, avait conclu le père, sinon tu attraperas une ratite.

– C'est quoi, une ratite, papa? avait demandé le jeune Thwaites.

– Tous les rats attrapés par les attrapeurs de rats sont empoisonnés à la mort-aux-rats, avait répondu le père. C'est ce poison qui donne la ratite.

– Oui, mais qu'est-ce qui se passe quand on l'attrape? avait insisté le jeune Thwaites.

– Vos dents deviennent aiguisées et pointues, avait répondu son père. Et une petite queue trapue vous pousse dans le dos juste au-dessus du derrière. Il n'y a pas de traitement pour la ratite. Je sais de quoi je parle. Je suis médecin.

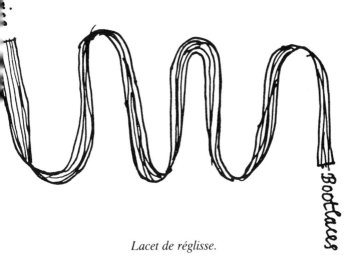

Lacet de réglisse.

L'histoire de Thwaites nous amusait beaucoup et nous la lui faisions souvent répéter sur le trajet de l'école. Mais elle n'empêchait aucun d'entre nous, à l'exception de Thwaites, d'acheter des lacets de réglisse. A un penny les deux, c'était la friandise la plus abordable de la boutique. Il faut vous dire qu'un lacet de réglisse (au cas où vous n'auriez pas eu le plaisir d'en manipuler un) n'est pas rond mais plat, et mesure environ un centimètre de large. On l'achète sous forme de petit rouleau et, à cette époque, le ruban était si long que lorsqu'on le déroulait et qu'on le tenait par une extrémité à bout de bras au-dessus de la tête, l'autre bout touchait le sol.

Les frissons coûtaient également un penny les deux. Chacun se composait d'un gobelet en carton jaune rempli d'une poudre sucrée, d'où sortait un tube de réglisse creux. « Du sang de rat, de nouveau ! » nous mettait en garde le jeune Thwaites, en nous montrant le tube noirâtre. On aspirait la poudre avec le tube, et quand on avait fini on mangeait le réglisse. Ils étaient délicieux, ces frissons... La poudre moussait dans la bouche et si vous saviez vous y prendre, vous pouviez faire sortir une écume blanche par vos narines et feindre une crise d'épilepsie.

Les boules magiques, qui coûtaient un penny pièce, étaient comme de grosses billes rondes et dures, de la taille de petites tomates. On pouvait sucer une de ces boules pendant une bonne heure d'horloge et si on la sortait de sa bouche pour l'examiner toutes les cinq minutes, on constatait qu'elle avait changé de couleur. Sa façon de passer du rose au bleu, puis au vert et au jaune avait quelque chose de fascinant. Nous nous demandions comment pouvait bien s'y prendre la fabrique de boules magiques pour réussir ce miracle. « Comment est-ce que ça marche? » nous demandions-nous les uns les autres. « Comment est-ce qu'ils font pour qu'elles changent de couleurs comme ça? »

– C'est votre salive qui les fait changer, affirmait le jeune Thwaites.

En tant que fils de médecin, il se considérait comme compétent sur tout ce qui avait trait au corps humain. Il pouvait nous faire un cours sur les croûtes et nous dire quand il était temps de les arracher. Il savait pourquoi un œil au beurre noir devenait bleu et pourquoi le sang était rouge.

– C'est votre salive qui fait changer la boule magique de couleur, insistait-il. Et lorsque nous lui demandions de développer cette théorie, il répondait : Vous ne comprendriez pas, même si je vous expliquais.

Les perles étaient excitantes parce qu'elles avaient un goût inquiétant. Elles sentaient le vernis à ongle et vous glaçaient le fond de la gorge. Nous avions tous été mis en garde contre cette variété de bonbon, et, résultat, nous nous en gavions.

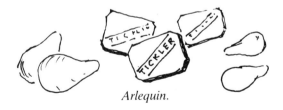

Arlequin.

Il y avait également un losange marron et dur, qui s'appelait un arlequin. L'arlequin avait un goût et une forte odeur de chloroforme. Nous étions tous intimement persuadés que ces bonbons étaient saturés de ce redoutable anesthésique qui, comme Thwaites nous l'avait maintes fois fait remarquer, pouvait vous endormir pendant des heures d'affilée.

– Si mon père doit scier la jambe de quelqu'un, disait-il, il verse du chloroforme sur un tampon et la personne le respire et s'endort, et mon père peut lui scier la jambe sans qu'il sente rien.

– Mais pourquoi en mettent-ils dans les bonbons pour nous les vendre? lui demandions-nous.

On aurait pu croire qu'une question de cet ordre allait déconcerter Thwaites. Mais Thwaites avait réponse à tout.

– Mon père dit que les arlequins ont été inventés pour les bandits dangereux en prison, expliqua-t-il. On leur en fait avaler un à chaque repas, et le chloroforme leur donne envie de dormir et les empêche de se révolter.

– Oui, disions-nous, mais pourquoi en vendre aux enfants?

– C'est un complot, disait Thwaites. Un complot des adultes pour nous faire tenir tranquilles.

La confiserie de Llandaff en l'année 1923 était le centre même de notre existence. Pour nous, c'était l'équivalent d'un bar pour un ivrogne, ou d'une église pour un évêque. Sans elle, nous aurions pratiquement perdu toute raison de vivre. Mais elle présentait un terrible désagrément, cette confiserie : la propriétaire était une horrible créature, nous la détestions et notre haine était parfaitement justifiée.

Elle s'appelait Mme Pratchett. C'était une vieille sorcière, petite, maigre et moustachue, avec une bouche en cul-de-poule. Elle ne souriait jamais. Jamais elle ne nous saluait quand nous entrions, et elle ne nous adressait la parole que pour dire : « Je vous ai à l'œil, bande de petits voleurs, alors touchez pas aux chocolats ! » Ou encore : « S'agit pas d'entrer ici rien que pour regarder ! Ou vous sortez vos sous ou vous sortez d'ici ! »

Mais de loin le trait le plus abominable chez Mme Pratchett, c'était sa saleté repoussante. Son tablier était gris de poussière et graisseux, son corsage maculé des reliefs du petit déjeuner : miettes de toast, taches de thé, éclaboussures de jaune d'œuf désséché. C'était ses mains, néanmoins, qui nous dégoûtaient le plus. Elles étaient immondes, noires de crasse. On aurait dit qu'elle avait passé sa journée à mettre des boulets de charbon sur le feu. Et n'oubliez pas que c'était ces mains-là, ces doigts-là, qu'elle plongeait dans les bocaux quand nous demandions pour un penny de caramels, de boules de gomme ou de pralines. Il n'y avait guère de lois réglementant l'hygiène à cette époque et personne, surtout pas Mme Pratchett, n'aurait eu l'idée d'utiliser une petite pelle pour sortir les bonbons des bocaux, comme on le fait de nos jours. La simple vue de sa main malpropre aux ongles en deuil, extirpant trente grammes de bouchées au chocolat aurait fait s'enfuir à toutes jambes de la boutique un vagabond affamé. Mais pas nous. Les bonbons étaient l'essence même de notre vie. Nous aurions subi bien pire encore pour nous en procurer. Nous restions donc plantés là, silencieux et renfrognés, à regarder cette vieille horreur farfouiller dans les bocaux avec ses doigts répugnants.

Une autre raison de haïr Mme Pratchett, c'était son avarice. A moins que nous ne dépensions six pence d'un seul coup, elle ne nous donnait pas de sachet. Elle se contentait d'envelopper les bonbons dans un petit morceau de journal qu'elle arrachait à une pile de vieux *Daily Mirror* posée sur le comptoir.

Vous pouvez donc comprendre que nous avions une dent contre Mme Pratchett, mais nous ne savions pas très bien comment nous venger d'elle. De nombreux plans avaient été conçus, mais aucun ne valait grand chose. Aucun, à vrai dire, jusqu'au jour où brusquement, par un mémorable après-midi, nous trouvâmes une souris morte.

Le grand complot
de la souris

Mes quatre camarades et moi avions découvert une lame de parquet disjointe au fond de la salle de classe et, lorsque nous l'avions soulevée à l'aide d'un canif, nous avions trouvé en dessous un grand espace creux. Cet endroit, nous décidâmes qu'il nous servirait de cachette secrète pour nos bonbons et autres petits trésors tels que marrons, cacahuètes et œufs d'oiseau. Tous les après-midi, une fois la dernière leçon terminée, nous attendions tous les cinq que la salle de classe se fût vidée, puis nous soulevions la lame de plancher pour examiner notre trésor, y ajoutant ou en retirant parfois quelque chose.

Un jour, ayant soulevé la planche, nous vîmes, gisant parmi nos trésors une souris morte. C'était une découverte excitante. Thwaites la saisit par la queue et l'agita devant nos visages.

— Qu'est-ce qu'on va en faire? cria-t-il.

— Elle pue! s'écria l'un d'entre nous. Jette-la par la fenêtre, vite!

– Une seconde! dis-je. Non. Ne la jette pas.
Thwaites hésita. Tous me dévisagèrent.

Quand on écrit sa propre histoire, il faut s'efforcer
d'être sincère. La vérité est plus importante que la
modestie. Je dois vous préciser, en conséquence, que
c'est moi et moi seul qui ai eu l'idée de monter
l'audacieux Complot de la Souris. Nous avons tous nos
moments de splendeur et de gloire, et le mien était
arrivé.

– Et si on la fourrait dans un des bocaux de bonbons
de Mme Pratchett? suggérai-je. Comme ça, quand elle
plongerait sa main crasseuse dans le bocal pour prendre
une poignée de bonbons, elle attraperait à la place une
souris morte et puante.

Les quatre autres me dévisagèrent avec stupeur. Puis
le caractère purement génial de mon idée leur apparut
et un large sourire éclaira leurs visages. Ils m'assénè-
rent de grandes tapes dans le dos. Ils m'acclamèrent et
se mirent à danser tout autour de la salle de classe.

– On va le faire aujourd'hui même! s'écrièrent-ils.
On va le faire en rentrant à la maison! C'est toi qui as
eu l'idée, me dirent-ils, alors c'est toi qui mettras la
souris dans le bocal.

Thwaites me tendit la bestiole que je glissai dans la
poche de mon pantalon. Là-dessus, nous quittâmes tous
les cinq l'école, traversâmes le terrain de jeux et nous
dirigeâmes vers la confiserie. Nous étions au comble de
l'excitation. Nous nous faisions l'effet d'une bande de
" desperados " en route pour attaquer un train ou pour
faire sauter le bureau du shérif.

– Surtout, choisis un bocal qui sert souvent, dit l'un
de nous.

– Je vais la mettre dans les boules magiques, dis-je. Le bocal des boules magiques n'est jamais derrière le comptoir.

– J'ai un penny, dit Thwaites, je vais lui demander un Frisson et un lacet de réglisse. Pendant qu'elle se retournera pour les prendre, tu balances en vitesse la souris dans les boules magiques.

Ainsi donc, tout était arrangé. Nous nous pavanions un peu en entrant dans la boutique. Nous étions les vainqueurs maintenant, et Mme Pratchett était la victime. Debout derrière le comptoir, une expression soupçonneuse dans ses petits yeux porcins malveillants, elle nous regardait nous avancer.

– Un frisson, s'il vous plaît, lui dit Thwaites en tendant son penny.

Je me tenais à l'arrière du groupe, et quand je vis Mme Pratchett se détourner un instant pour aller cueillir un frisson dans la boîte, je soulevai le lourd couvercle du bocal de boules magiques et laissai tomber la souris à l'intérieur. Puis je reposai le couvercle en faisant le moins de bruit possible. Mon cœur battait la chamade et j'avais les mains moites. J'entendis Thwaites ajouter :

– Et un lacet de réglisse, s'il vous plaît.

Au moment où je me retournai, je vis Mme Pratchett qui tendait le lacet de réglisse qu'elle tenait entre ses doigts infects.

– Je veux pas que vous entriez en bande ici quand il y en a qu'un seul qui achète, nous glapit-elle. Allez, foutez-moi le camp! Ouste, sortez!

Une fois dehors, nous nous mîmes à courir.

– Tu as réussi? me hurlèrent mes camarades.

– Oui, bien sûr! répondis-je.
– Bravo, se mirent-ils à vociférer. Formidable!
Je me faisais l'effet d'un héros. J'étais un héros.
C'était merveilleux d'être aussi populaire.

Monsieur Coombes

La triomphale exaltation provoquée par l'affaire de la souris morte nous habitait toujours le lendemain matin lorsque nous nous retrouvâmes pour aller à l'école.

— Allons voir si elle est toujours dans le bocal, suggéra l'un de nous alors que nous approchions de la confiserie.

— Surtout pas, intervint Thwaites avec fermeté. C'est trop dangereux. Passons devant comme si de rien n'était.

En arrivant à hauteur de la boutique, nous aperçûmes une pancarte en carton accrochée à la porte. FERMÉ, disait la pancarte. Nous nous arrêtâmes, sidérés. Jamais à notre connaissance la confiserie n'avait été fermée à cette heure de la matinée, pas même le dimanche.

FERMÉ.

– Qu'est-ce qui est arrivé? nous demandions-nous les uns aux autres. Qu'est-ce qui se passe?

Le visage appuyé contre la vitrine, nous regardions à l'intérieur. Mme Pratchett n'était nulle part en vue.

– Regardez! m'écriai-je. Le bocal de boules magiques a disparu! Il n'est plus sur l'étagère! Il y a un vide là où il était!

– Il est par terre! dit l'un de nous. En mille morceaux, et il y a des boules magiques partout!

– Et voilà la souris! s'écria un autre.

Nous pouvions tout voir, le gros bocal de verre éclaté, en miettes, avec la souris morte au milieu des débris, et des centaines de boules multicolores éparpillées sur le sol.

– Elle a eu un tel choc quand elle a saisi la souris qu'elle a tout laissé tomber, déclara l'un de nous.

– Mais pourquoi est-ce qu'elle n'a pas tout balayé et ouvert la boutique? demandai-je.

Personne ne me répondit.

Nous nous détournâmes pour reprendre le chemin de l'école; voilà que nous nous sentions soudain un peu mal à l'aise. Il n'était pas normal que la boutique fût fermée. Thwaites lui-même n'avait pas d'explication à avancer. Nous sombrâmes dans un silence pesant. Il y avait maintenant un vague parfum de danger dans l'air. Chacun d'entre nous en avait respiré une bouffée. Des sonnettes d'alarme commençaient à tinter faiblement dans nos têtes.

Au bout d'un moment, Thwaites rompit le silence.

– Elle a dû avoir un sacré choc, dit-il.

Il observa une pause. Tous nous le regardions, nous demandant quel oracle allait proférer notre grand expert en matière médicale.

– Après tout, enchaîna-t-il, saisir une souris morte quand on croit prendre une boule magique, ça doit être une expérience assez terrifiante, vous ne trouvez pas?

Personne ne lui répondit.

– Oui, eh bien, poursuivit Thwaites, quand une vieille personne comme Pratchett reçoit brusquement un très gros choc, vous savez, je suppose, ce qui lui arrive?

– Quoi? Qu'est-ce qui lui arrive?

– Demandez à mon père, reprit Thwaites. Il vous le dira.

– Dis-le-nous, toi!

– Ça provoque chez elle une crise cardiaque, annonça Thwaites. Son cœur s'arrête de battre et elle meurt dans les cinq secondes.

Mon propre cœur cessa de battre un instant. Thwaites braqua un doigt sur moi et déclara d'un air sombre :

– Tu l'as tuée, j'en ai peur.

– Moi? m'exclamai-je. Pourquoi moi seulement?

– C'était une idée à toi, dit-il. Et en plus, c'est toi qui l'a mise dans le bocal.

Voilà que j'étais devenu brusquement un assassin.

A cet instant précis, nous entendîmes la cloche de l'école sonner au loin et nous dûmes galoper durant tout le reste du trajet pour ne pas arriver en retard à la prière.

Les élèves étaient réunis pour la prière dans la salle des fêtes. Nous devions tous être perchés sur des bancs en bois, face aux professeurs assis sur une estrade dans leurs fauteuils. Nous nous faufilâmes tous les cinq à nos places au moment où le principal faisait son entrée, suivi du reste de son équipe.

Le principal est le seul professeur de l'école de la cathédrale de Llandaff dont je me souvienne, et, pour une raison que vous allez vite découvrir, je garde de lui un souvenir extrêmement cuisant. Il s'appelait M. Coombes et je conserve l'image d'un véritable géant au visage rougeaud avec une masse de cheveux roux en désordre qui se hérissaient au sommet de son crâne. Tous les adultes font aux enfants l'effet de géants. Mais les directeurs d'école (et les policiers) sont les plus grands de tous les géants et ils acquièrent une stature parfois prodigieuse. Il est possible que M. Coombes ait été un être absolument normal, mais dans mon souvenir, c'était un géant vêtu de tweed qui portait toujours une toge noire par-dessus son complet, et un gilet sous sa veste.

M. Coombes se mit alors à marmonner les mêmes prières que nous entendions tous les jours, mais ce matin-là, le dernier amen prononcé, il ne se hâta pas de sortir de la salle des fêtes, suivi de toute sa troupe. Il demeura debout devant nous et il était évident qu'il avait une communication à nous faire.

– L'école tout entière va se rendre immédiatement dans la cour de récréation et se mettre en rang, dit-il. Laissez vos livres ici. Et il est interdit de parler.

M. Coombes avait l'air sombre. Son visage rose jambon avait pris cette expression menaçante qui n'apparaissait que lorsqu'il était au comble de l'irritation et sur le point de passer un savon formidable à un élève. J'étais assis, tout petit et terrifié, sur un des bancs, parmi tous les autres jeunes garçons et, à cet instant, le principal avec sa toge noire drapée sur ses épaules, me fit l'effet d'un juge siégeant à un procès criminel.

– Il cherche l'assassin, me chuchota Thwaites.

Je me mis à frissonner.

– Je parie que la police est déjà là, poursuivit Thwaites. Et le panier à salade doit attendre dehors.

Tandis que nous nous dirigions vers le terrain de jeux, j'avais l'impression que mon estomac se remplissait lentement d'une eau tourbillonnante. *Je n'ai que huit ans,* me disais-je. *Jamais un petit garçon de huit ans n'a tué quelqu'un. C'est impossible.*

RECHERCHÉ POUR MEURTRE !

Dans la cour de récréation, en cette chaude et nuageuse matinée de septembre, le surveillant général vociférait :

– Mettez-vous en rang par classe! La septième par ici! La huitième à côté! Alignez-vous! Allons, en rang! Dépêchez-vous! Et cessez de bavarder!

Thwaites, moi-même et mes trois autres camarades étions en dixième, l'avant-dernière classe, et nous nous adossâmes au mur de brique rouge de la cour de récréation, épaule contre épaule. Je me rappelle que lorsque chaque élève eut gagné sa place, nous formions un carré autour de la cour de récréation – environ une centaine de petits garçons les uns à côté des autres, portant tous une tenue identique : culottes courtes grises, blazer gris, chaussettes grises et souliers noirs.

– Taisez-vous! vociféra le surveillant général. Je veux un silence absolu.

Mais pour l'amour du ciel, que faisions-nous dans la cour de récréation? me demandais-je. Et pourquoi nous avait-on fait mettre en rang comme ça? Ça n'était encore jamais arrivé. Je m'attendais presque à voir deux policiers bondir de l'école pour venir m'empoigner par les bras et me passer les menottes.

Une seule porte donnait de l'école sur la cour de récréation. Elle s'ouvrit soudain à la volée et, tel l'ange de la mort, M. Coombes apparut, gigantesque et massif dans son complet de tweed et sa toge noire, escorté – vision incroyable mais vraie – par la petite silhouette de Mme Pratchett qui trottinait à son côté!

Mme Pratchett était vivante!

Un immense soulagement m'envahit.

– Elle est vivante! chuchotai-je à Thwaites qui se tenait à côté de moi. Je ne l'ai pas tuée!

Thwaites ne me prêta aucune attention.

– Nous allons commencer par ici, déclara M. Coombes à Mme Pratchett.

La prenant par un de ses bras maigrichons, il la dirigea vers l'endroit où se tenait la Septième. Puis, sans la lâcher, il l'entraîna à vive allure le long de la rangée d'élèves. On aurait dit une inspection des troupes.

– Mais qu'est-ce qu'ils peuvent bien fabriquer? chuchotai-je.

Thwaites ne répondit pas. Je lui jetai un coup d'œil. Il avait quelque peu pâli.

– Trop grands, entendis-je Mme Pratchett déclarer. Beaucoup trop grands. Pas dans ce groupe. Allons voir du côté des mioches.

M. Coombes accéléra l'allure.

– Le mieux, c'est que nous fassions le tour, dit-il.

Il semblait pressé d'en finir maintenant, et je voyais Mme Pratchett trottiner sur ses maigres jambes de chèvre pour essayer de rester à sa hauteur. Ils avaient déjà inspecté un côté de la cour de récréation où étaient rangées la septième et la huitième. Nous les regardâmes longer le deuxième côté... puis le troisième.

– Toujours trop grands, entendis-je Mme Pratchett coasser. Beaucoup trop grands! Plus jeunes que ça! Beaucoup plus jeunes! Où sont-ils donc, ces sales petits garnements?

Ils se rapprochaient de nous maintenant... Et de plus en plus. Ils commencèrent à inspecter le quatrième côté.

Tous les garçons de notre classe avaient les yeux fixés sur M. Coombes et Mme Pratchett qui avançaient le long du rang dans notre direction.

– De vrais vauriens, les tout petits! marmonnait Mme Pratchett. Ils entrent dans ma boutique et ils s'imaginent qu'ils peuvent faire tout ce qui leur chante!

M. Coombes n'émit aucun commentaire.

– Ils fauchent des trucs quand j'ai le dos tourné, poursuivit-elle. Ils touchent tout avec leurs mains sales et ils sont malpolis. Les filles, elles, ne me gênent pas. J'ai jamais eu d'ennuis avec les filles, mais les garçons ce sont des monstres, des horreurs! J'ai pas besoin de vous le dire, m'sieu le directeur, pas vrai?

– Voici les plus petits, dit M. Coombes.

Je voyais Mme Pratchett dévisager chaque élève tour à tour de ses petits yeux porcins.

Brusquement, elle poussa un cri suraigu et braqua sur Thwaites un index crasseux.

– C'est lui! hurla-t-elle. C'est un de ceux-là! Je le reconnaîtrais nimporte où, ce sale petit morveux!

L'école tout entière se tourna pour regarder Thwaites.

– Que... qu'est-ce que j'ai fait? bredouilla-t-il, en implorant du regard M. Coombes.

– Taisez-vous! dit M. Coombes.

Mme Pratchett tourna les yeux et les fixa cette fois sur mon propre visage. Je baissai les miens et me mis à examiner l'asphalte noir qui recouvrait la cour de récréation.

Je l'entendis vociférer :

– Et en v'là un autre! Celui-là, là!

C'était moi qu'elle désignait maintenant.

– Vous êtes tout à fait sûre? demanda M. Coombes.

– Évidemment, je suis sûre! glapit-elle. J'oublie

jamais un visage, surtout un qu'a l'air aussi hypocrite! Il était bien dans le tas! Ils étaient cinq en tout! Voyons un peu, où sont les trois autres?

Les trois autres, je le savais fort bien, venaient juste après. Le visage animé d'une expression venimeuse, Mme Pratchett laissa dériver son regard vers mes voisins.

— Les voilà! s'écria-t-elle en poignardant l'air de son doigt. Lui! Lui! Et lui! C'est bien ces cinq-là! Pas la peine de chercher plus loin, m'sieu le directeur! Ils sont tous là, ces petits salopiauds! Vous avez leurs noms, hein?

— J'ai leurs noms, Madame Pratchett, répondit M. Coombes. Je vous remercie infiniment.

— C'est moi qui vous remercie, m'sieu le directeur, dit-elle.

Comme M. Coombes lui faisait traverser la cour de récréation, nous entendîmes Mme Pratchett déclarer :

— Au beau milieu du bocal de boules magiques, elle était! Le cadavre puant d'une souris... J'oublierai jamais aussi longtemps que je vivrai!

— Je suis absolument navré pour vous, marmonna M. Coombes.

— Vous parlez d'un choc! poursuivit-elle. Quand mes doigts se sont refermés sur cette saleté de souris crevée...

Sa voix s'estompa tandis que M. Coombes lui faisait vivement franchir la porte pour entrer dans le bâtiment de l'école.

La vengeance
de madame Pratchett

Notre maître entra dans la salle de classe, un morceau de papier à la main...

– Les élèves suivants doivent se rendre immédiatement au bureau du principal, dit-il. Thwaites... Dahl...

Il lut ensuite le nom des trois autres que j'ai oubliés.

Nous nous levâmes tous les cinq et sortîmes de la classe. Sans mot dire, nous nous engageâmes dans le long couloir qui conduisait aux appartements privés du principal, où se trouvait le bureau redouté. Thwaites frappa à la porte.

– Entrez!

Nous avançâmes furtivement. La pièce sentait le cuir et le tabac. M. Coombes se dressait au milieu, dominateur, gigantesque, tenant entre ses mains une longue canne jaune à poignée recourbée.

La canne.

– Inutile de mentir. Je sais très bien que c'est vous et que vous étiez tous complices. Alignez-vous là, contre la bibliothèque.

Nous obtempérâmes, Thwaites devant, et moi, pour je ne sais quelle obscure raison, venant le dernier. J'étais le cinquième dans la rangée.

– Vous, dit M. Coombes en pointant sa canne sur Thwaites, venez par ici.

Thwaites s'avança, très lentement.

– Penchez-vous, dit M. Coombes.

Thwaites se courba en deux. Les yeux rivés sur lui, nous étions hypnotisés. Nous savions, bien entendu, que les garçons, de temps à autre, recevaient des coups de canne, mais jamais nous n'avions entendu dire que d'autres élèves étaient forcés d'assister à ce châtiment.

– Plus bas, mon garçon, plus bas! ordonna sèchement M. Coombes. Touchez le sol!

Thwaites effleura le tapis du bout des doigts.

M. Coombes recula d'un pas et se planta solidement sur ses deux pieds écartés. Le derrière de Thwaites me paraissait si petit, et si crispé. M. Coombes ne le quittait pas des yeux. Il leva la canne au-dessus de son épaule et l'abattit avec un sifflement, puis un bruit sec comme un coup de pistolet retentit quand elle frappa le derrière de Thwaites.

Le petit Thwaites sembla sauter de trente centimètres en l'air et il hurla « Aïe-ïeïeïe-ïe-ïe-ïe-ïe » en se redressant comme un ressort.

– Plus fort! glapit une voix dans un coin de la pièce.

Ce fut à notre tour de sauter en l'air. Tournant la tête, nous vîmes, assise dans un des grands fauteuils en cuir de M. Coombes, la petite silhouette exécrée de Mme Pratchett! Dans son excitation, elle trépignait sur place.

– Allez-y! hurlait-elle. Corrigez-le! Donnez-lui une leçon!

– Baissez-vous, mon garçon, ordonna M. Coombes. Et restez baissé. Vous aurez droit à un coup supplémentaire chaque fois que vous vous redresserez!

– Ça lui apprendra! hurla Mme Pratchett. Ça lui apprendra, à ce petit morveux!

Je n'en croyais pas mes yeux. J'avais l'impression d'assister à quelque horrible pantomime. Cette scène de violence était d'autant plus insupportable que nous étions contraints d'y assister et par-dessus le marché la présence de Mme Pratchett en faisait un véritable cauchemar.

Swish-crac! fit la canne.

– Aïe-ïe-ïe-ïe! hurla Thwaites.

– Plus fort! glapit Mme Pratchett. Tannez-lui le cuir! Cinglez-le bien! Chatouillez-le! Chauffez-lui les fesses! Allez, cognez, m'sieu le directeur!

Thwaites encaissa quatre coups, et bon sang, M. Coombes n'y allait pas de main morte.

– Au suivant! fit sèchement M. Coombes.

Crispé d'appréhension, le deuxième garçon s'avança à pas lents vers son destin. Je regrettais d'être le dernier de la rangée. Regarder et attendre constituaient probablement une plus grande torture que la punition elle-même.

La deuxième fois, le numéro de M. Coombes fut identique au précédent. Celui de Mme Pratchett également. Elle continua à glapir durant toute la scène, exhortant M. Coombes à des efforts de plus en plus grands, et le pire, c'était qu'il semblait réagir à ses cris. Il se comportait comme un athlète encouragé par les acclamations de la foule dans les tribunes. Que ceci soit vrai ou pas, je suis sûr en tout cas d'une chose : il ne mollissait pas.

Mon tour vint enfin. J'avais la tête qui tournait et je voyais trouble lorsque je m'avançai et me courbai en deux. Je me rappelle avoir souhaité que ma mère surgisse soudain dans la pièce en criant : « Arrêtez! Comment osez-vous traiter ainsi mon fils? » Mais elle ne vint pas. Tout ce que j'entendis, ce fut l'horrible voix suraiguë de Mme Pratchett qui braillait :

– Celui-là, c'est le plus culotté de la bande, m'sieu le directeur! Faut pas le louper, celui-là! Cognez ferme!

Et c'est exactement ce qu'il fit. Quand le premier coup atterrit en claquant comme un pistolet, je fus projeté en avant si violemment que si mes doigts n'avaient pas touché le tapis, je serais sans doute tombé à plat ventre. Je réussis en fait à me retenir sur les mains et à garder l'équilibre. Au début, j'entendis seulement le clac et ne ressentis absolument rien, mais une fraction de seconde plus tard, la brûlure qui s'irradia à travers mes fesses fut si terrible que j'en eus le souffle coupé. J'expulsai d'un seul coup tout l'air que j'avais dans les poumons. J'avais l'impression, je vous le jure, qu'on m'avait posé un tisonnier rougi à blanc sur la chair et qu'on l'y maintenait appuyé.

Le deuxième coup fut pire que le premier, sans doute parce que M. Coombes, maintenant bien entraîné, visait admirablement. Il réussit, du moins me sembla-t-il, à asséner le deuxième coup exactement sur la ligne étroite où le premier avait atterri. C'est déjà assez douloureux lorsque la canne s'abat sur une peau intacte, mais lorsqu'elle frappe une chair déjà tuméfiée et lacérée, la souffrance est intolérable.

Le troisième coup me parut pire encore que le second. Que le rusé M. Coombes ait ou non à l'avance frotté la canne de craie pour obtenir un point de repère sur ma culotte de flannelle grise après le premier coup, je l'ignore. J'ai tendance à en douter, car il devait savoir que cette pratique était fort mal vue des directeurs d'école à cette époque-là. D'une part, elle était considérée comme peu sportive, et d'autre part elle tendait à prouver que vous n'étiez pas expert en la matière.

Une fois le quatrième coup asséné, mon arrière-train tout entier n'était plus qu'un brasier. J'entendis dans le lointain la voix de M. Coombes déclarer :

– Et maintenant sortez!

Comme je boitillais à travers le bureau, en tenant mes fesses à deux mains, un caquètement retentit dans le fauteuil placé dans le coin et j'entendis la voix venimeuse de Mme Pratchett :

– Je vous suis très obligée, m'sieu le directeur, disait-elle, très obligée. Je pense pas qu'on en retrouvera jamais plus dans mes Boules Magiques, des souris crevées!

Lorsque je regagnai ma salle de classe, j'avais les yeux brouillés de larmes. Tout le monde me dévisageait. Je m'assis avec précaution à mon pupitre, le derrière terriblement endolori.

Ce soir-là, après le souper, mes trois sœurs prirent leur bain avant moi. Puis ce fut mon tour, mais comme je m'apprêtais à grimper dans la baignoire, ma mère étouffa un cri horrifié.

– Qu'est-ce que c'est que ça? fit-elle d'une voix blanche. Qu'est-ce qui t'est arrivé?

Elle avait les yeux fixés sur mon derrière. Je ne l'avais, quant à moi, pas encore examiné jusqu'à ce moment-là, mais en tournant la tête pour jeter un coup d'œil à mes fesses, je vis les boursouflures violettes qui le zébraient, et la chair bleue et tuméfiée tout autour.

– Qui a fait ça? s'écria ma mère. Dis-le-moi tout de suite!

Pour finir, je dus lui raconter toute l'histoire, devant mes trois sœurs (âgées de neuf, six et quatre ans) qui se tenaient autour de nous en chemise de nuit, les yeux ronds de stupeur. Ma mère m'écouta jusqu'au bout sans mot dire, sans poser de questions. Elle me laissa parler simplement et lorsque j'eus terminé, elle déclara à notre nurse :

– Mettez-les au lit, Nounou. Je sors.

Si j'avais eu la moindre idée de ce qu'elle s'apprêtait à faire, j'aurais essayé de l'en empêcher, mais je l'ignorais. Elle descendit au rez-de-chaussée et mit son chapeau. Puis elle sortit de la maison d'un pas décidé, s'engagea dans l'allée et émergea sur la route. Par la fenêtre de ma chambre, je la vis franchir le portail et tourner à gauche, et je me rappelle lui avoir crié de revenir, de revenir, de revenir. Mais elle ne me prêta aucune attention. Elle marchait très vite, le menton levé, le dos bien droit et, à en juger par son attitude, M. Coombes allair passer un mauvais quart d'heure.

Une heure plus tard environ, ma mère revint et monta nous embrasser.

– Tu n'aurais pas dû faire ça, lui dis-je. J'ai l'air d'un idiot, moi!

– Là d'où je viens, on ne bat pas aussi sauvagement les petits enfants, dit-elle. Je ne le tolérerai pas.

– Qu'est-ce qu'il t'a dit, Maman, M. Coombes?

– Il m'a dit que j'étais une étrangère et ne comprenais pas la façon dont on dirigeait les écoles britanniques.

– Il était fâché contre toi?

– Très fâché, répondit-elle. Il m'a dit que si je n'aimais pas ses méthodes, je pouvais t'enlever de l'école.

– Et qu'est-ce que tu as dit?

– Je lui ai dit que c'était bien mon intention, dès la fin de l'année scolaire. Je te trouverai une école anglaise cette fois. Ton père avait raison. Les écoles anglaises sont les meilleures du monde.

— Ça veut dire que je serai pensionnaire? demandai-je.

— Il le faudra bien, dit-elle. Je ne suis pas encore tout à fait prête pour emmener toute la famille en Angleterre.

Je restai donc à l'école de la cathédrale de Llandaff jusqu'à la fin du quatrième trimestre.

Vacances en Norvège

Les grandes vacances! Mots magiques! Il me suffisait de les entendre prononcer pour sentir des frissons de joie me parcourir la peau.

Toutes mes vacances d'été, de quatre à dix-sept ans (de 1920 à 1932) furent totalement idylliques. Elles le furent, j'en suis certain, parce que nous nous rendions toujours dans le même endroit idyllique et que cet endroit était la Norvège.

A l'exception de ma demi-sœur, si vieille, et de mon demi-frère, lui un peu moins vieux, nous étions tous de purs Norvégiens d'origine. Nous parlions tous norvégien et tous nos parents vivaient là-bas. Alors, en un sens, nous rendre en Norvège chaque été, c'était un peu comme rentrer au pays.

Le voyage même était un événement. N'oubliez pas qu'en ce temps-là il n'existait pas d'avions commerciaux, et le voyage nous prenait donc quatre journées complètes à l'aller, et autant au retour.

Nous formions toujours une véritable troupe. Il y avait mes trois sœurs et ma vieille demi-sœur (quatre), mon demi-frère et moi (six), ma mère (sept), Nounou (huit), et en plus il y avait toujours au moins deux autres filles, sortes d'amies anonymes aussi vieilles que ma vieille demi-sœur (dix en tout).

Quand j'y repense maintenant, je ne sais vraiment pas comment ma mère arrivait à se débrouiller. Il lui fallait écrire à l'avance pour réserver des places dans les trains, sur les bateaux et à l'hôtel. Elle devait s'assurer que nous emportions suffisamment de culottes, de chemises, de pull-overs, de sandales de gymnastique et de maillots de bain (on ne pouvait même pas acheter un lacet de chaussure sur l'île où nous allions) et la préparation des bagages devait être un vrai cauchemar. Tout était soigneusement rangé dans six énormes malles, sans parler d'innombrables valises, et lorsque le grand jour du départ arrivait, notre groupe de dix, accompagné de notre montagne de bagages, se lançait dans la première et la plus facile étape du périple, le voyage en train jusqu'à Londres.

Arrivés à Londres, nous nous empilions dans trois taxis qui nous emmenaient en cahotant à travers la grande ville jusqu'à King's Cross où nous montions dans le train pour Newcastle, à trois cents kilomètres au nord. Le voyage jusqu'à Newcastle durait environ cinq heures et lorsque nous y arrivions, il nous fallait de nouveau trois taxis pour nous emmener de la gare jusqu'au quai d'embarquement où nous attendait notre bateau. La prochaine étape serait ensuite Oslo, la capitale de la Norvège.

Dans ma jeunesse, la capitale de la Norvège ne s'appelait pas Oslo. Elle s'appelait Christiania. Mais à un moment quelconque, les Norvégiens décidèrent de changer ce joli nom en celui d'Oslo. Enfants, nous avons toujours connu la capitale sous le nom de Christiania, mais si je l'appelle ainsi maintenant, cela ne peut que prêter à confusion, mieux vaut donc parler d'Oslo.

La traversée de Newcastle à Oslo prenait deux jours et une nuit, et si la mer était agitée, ce qui était souvent le cas, nous étions tous malades, sauf notre intrépide mère. Nous restions étendus sur les chaises longues du pont-promenade, à portée immédiate du bastingage, le visage grisâtre, l'estomac révulsé, refusant le potage brûlant et les biscuits que le gentil steward ne cessait de nous proposer. Quant à la pauvre Nounou, elle commençait à avoir le mal de mer dès qu'elle mettait les pieds sur le pont.

— Je déteste ces engins! disait-elle. Je suis sûre qu'on n'arrivera jamais là-bas! Sur quel canot de sauvetage doit-on monter, quand on se mettra à couler?

Elle se retirait jusqu'à ce que le navire soit fermement amarré au quai, dans le port d'Oslo, le lendemain.

Nous passions toujours une nuit à Oslo pour avoir une grande réunion familiale et annuelle avec Bestemama et Bestepapa, les parents de notre mère, et avec ses deux sœurs célibataires (nos tantes) qui vivaient dans la même maison.

Bestemama et Bestepapa (et Astri).

Moins d'une heure après que nous avions débarqué, notre cortège de taxis norvégiens, après une halte au Grand Hôtel où nous allions passer une nuit, pour y déposer nos bagages, nous conduisait à la maison de nos grands-parents où un accueil débordant d'affection nous attendait. Nous étions tous enlacés et embrassés maintes fois, les larmes coulaient sur les vieilles joues ridées, et soudain cette maison sombre et silencieuse résonnait de joyeuses voix d'enfants.

Depuis la toute première fois où je l'avais vue, Bestemama m'avait paru terriblement âgée. C'était une vieille dame aux cheveux blancs, au visage ridé, toujours assise, me semblait-il, dans son rocking-chair où elle se balançait doucement, souriant affectueusement à cette invasion de petits-enfants venus de si loin pour prendre possession de sa maison durant quelques heures chaque année.

Bestepapa était d'un naturel silencieux. C'était un savant, de petite taille, plein de dignité, avec un bouc blanc au menton et, d'après ce que j'avais compris, il était astrologue, météorologue et parlait le grec ancien. Tout comme Bestemama, il était la plupart du temps tranquillement assis dans un fauteuil, parlait peu, totalement submergé, j'imagine, par la bruyante cohue qui abolissait le calme de son foyer ordonné et raffiné. Je me souviens surtout de deux détails au sujet de Bestepapa : il portait des bottines noires et fumait une pipe extraordinaire. Le fourneau était en écume de mer et le tuyau, flexible, mesurait environ quatre-vingt-dix centimètres, si bien que le fourneau reposait sur ses genoux.

Tous les adultes, y compris Nounou, et tous les enfants, même lorsque le plus jeune n'avait qu'un an, s'asseyaient autour de la grande table ovale de la salle à manger l'après-midi de notre arrivée pour la grande célébration annuelle avec les grands-parents, et le menu qui nous était offert ne variait jamais. Nous étions dans une maison norvégienne, et pour les Norvégiens, la meilleure nourriture du monde, c'est le poisson. Et quand ils disent poisson, ils ne parlent pas de ce que vous et moi pouvons trouver à la poissonnerie. Ils parlent de poisson frais, de poisson pêché depuis moins de vingt-quatre heures et qui n'a jamais été congelé ou gardé au frais sur des blocs de glace. Je trouve comme eux que la meilleure façon de préparer ce genre de poisson, c'est de le pocher, et c'est ce qu'ils font avec les plus beaux spécimens. Les Norvégiens, à ce propos, mangent toujours la peau du poisson poché, la partie la plus savoureuse, disent-ils.

Ce grand repas de fête commençait donc par du poisson. Un énorme poisson, un carrelet grand comme un plateau à thé et épais comme le bras, était apporté sur la table. La peau au-dessus était presque noire et piquetée de taches orange vif et, bien entendu, il avait été cuit au court-bouillon à la perfection. De gros morceaux de la chair blanche du poisson étaient détachés de la masse et servis sur nos assiettes, nappés de sauce hollandaise et accompagnés de pommes de terre nouvelles à l'eau. Rien d'autre. Et bon sang, c'était délicieux.

Dès que les reliefs du poisson avaient été débarrassés, on servait une gigantesque montagne de glace maison. Outre que c'était la glace la plus crémeuse du monde, elle avait une saveur inoubliable. Des milliers de petites paillettes de caramel doré y étaient incorporées (du *krokan,* comme disent les Norvégiens) et elle ne fondait donc pas dans la bouche comme une glace ordinaire. On pouvait la mâcher, elle craquait sous la dent et ce goût était une chose dont on rêvait après pendant des journées entières.

Ce grand repas de fête était interrompu par un petit

discours de bienvenue que prononçait mon grand-père, et les adultes levaient alors leurs verres de vin à long pied et disaient « skaal » de nombreuses fois au long du dîner.

Les libations terminées, on servait à ceux que l'on considérait comme assez vieux des petits verres de liqueur de cassis, faite à la maison. De nouveau, on levait son verre et les « skaal » semblaient se succéder indéfiniment. En Norvège, vous pouvez choisir n'importe quelle personne autour de la table et lui porter un toast pour l'honorer en particulier. Pour commencer, vous levez haut votre verre et vous prononcez le nom. « Bestemama! » dites-vous. « Skaal, Bestemama! » Elle prend alors son propre verre et le lève très haut. En même temps, vous la regardez droit dans les yeux et vous devez continuer à la fixer tout en buvant. Après avoir agi ainsi tous les deux, vous levez de nouveau vos verres en une sorte de dernier salut silencieux et c'est seulement alors que chaque personne peut détourner son regard et reposer son verre. C'est une cérémonie grave et solennelle et, en règle générale, dans les grandes occasions, chacun porte un toast individuel à chaque autre convive autour de la table. S'il y a par exemple dix personnes présentes et que vous êtes l'une d'entre elles, vous porterez un toast à chacun de vos neuf compagnons et chacun d'entre eux, à son tour, portera un toast en votre honneur – ce qui fera dix-huit en tout. Voilà comment l'on se comporte là-bas chez les gens bien élevés, ou du moins c'est ainsi que l'on se comportait dans le temps, et c'était tout une affaire. Dès l'âge de sept ans, je fus autorisé à participer à ces cérémonies et je finissais toujours complètement pompette.

L'île magique

Le lendemain matin, tout le monde se levait tôt, pressé de se remettre en route. Nous avions encore toute une journée de voyage, en majeure partie par mer, avant d'atteindre notre destination. Après un rapide petit déjeuner, notre troupe quittait donc le Grand Hôtel, à bord de trois autres taxis, et mettait le cap sur le port d'Oslo. Là, nous montions à bord d'un petit vapeur côtier et l'on pouvait entendre Nounou déclarer :

Fra Havna, Rössesund

Eneret A. Mathisen fotografi Tanberg

– Je suis sûre qu'il prend l'eau! On va tous servir de nourriture aux poissons avant la fin de la journée!

Elle disparaissait alors dans le salon des passagers jusqu'à la fin de la traversée.

Nous adorions cette partie du voyage. Le vaillant petit bateau, avec son unique et haute cheminée, avançait dans les eaux calmes du fjord pour ensuite longer la côte sans se presser, s'arrêtant environ toutes les heures à de petits débarcadères en bois où des groupes de villageois ou d'estivants attendaient pour accueillir des amis ou prendre des paquets ou du courrier. A moins d'avoir vous-même navigué ainsi sur le fjord d'Oslo par une belle journée d'été, vous ne pouvez pas imaginer ce que c'est. Il est impossible de décrire la sensation de paix absolue et de beauté qui vous envahit. Le bateau décrit des zigzags parmi d'innombrables îlots minuscules; sur certains se dressent de petites maisons en bois peintes de couleurs vives, mais beaucoup, sans arbres ni maisons, ne sont que des rochers nus. Ces rocs granitiques sont tellement lisses et polis qu'on peut s'étendre dessus en maillot de bain pour se bronzer sans même avoir besoin d'une serviette sous les reins. Nous apercevions des filles aux longues jambes et des garçons de haute taille en train de se rôtir sur les rochers des îles. Il n'existe pas de plages de sable dans le fjord. Les rochers vont jusqu'au bord de l'eau qui est immédiatement profonde. Il en résulte que tous les enfants norvégiens apprennent à nager quand ils sont tout petits, car si on ne sait pas nager, il est difficile de trouver un endroit où se baigner.

Parfois, lorsque notre petit navire se glissait entre deux îlots, le chenal était si étroit que nous pouvions presque toucher les rochers de chaque côté. Nous croisions des barques et des canoës remplis d'enfants aux cheveux de lin, à la peau dorée par le soleil, et nous leur faisions des saluts de la main en regardant leurs minuscules embarcations rouler violemment dans le sillage de notre bateau.

En fin d'après-midi, nous arrivions enfin à l'île de Tjöme, terme de notre voyage. C'était là que nous emmenait toujours notre mère. Dieu sait comment elle avait découvert cet endroit, mais pour nous, c'était le plus merveilleux du monde. A deux cents mètres environ du débarcadère, le long d'une étroite route poussiéreuse, se dressait un simple hôtel de bois peint en blanc. Il était tenu par un couple de gens âgés dont je me rappelle parfaitement le visage, et qui nous accueillaient chaque année comme de vieux amis. Tout dans l'hôtel était extrêmement primitif, à l'exception de la salle à manger. Les murs, le plafond et le sol de nos chambres étaient faits de simples planches de pin non vernies. Dans chacune d'elles, il y avait une cuvette et un pot d'eau froide. Les toilettes étaient situées dans une cabane en planches disjointes à l'arrière de l'hôtel, et dans chaque stalle, il y avait simplement une planche percée d'un trou. Il fallait s'asseoir sur le trou qui

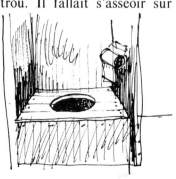

donnait sur une fosse profonde de trois mètres. Si on se penchait sur le trou pour regarder, on voyait souvent des rats détalant dans la pénombre. Tout ceci nous paraissait parfaitement naturel.

Le petit déjeuner était le meilleur repas de la journée à notre hôtel, et il était servi sur une gigantesque table au milieu de la salle à manger. Chacun se servait soi-même. Il y avait bien le choix entre cinquante plats différents. De grands pots de lait, que les enfants norvégiens boivent à tous les repas. De la viande froide : bœuf, veau, jambon, ou porc. Des maquereaux pochés, froids, en gelée. Des filets de hareng au vinaigre, des sardines, de l'anguille fumée, des œufs de cabillaud. Une grande jatte remplie d'œufs à la coque. Des omelettes froides au jambon, du poulet froid et du café chaud pour les adultes, de petits pains croustillants, tout chauds, sortant du four de la cuisine de l'hôtel et que nous mangions avec du beurre et de la confiture d'airelle. De la compote d'abricots et dix sortes différentes de fromages, y compris, bien entendu, l'omniprésent « gjetost », ce fromage de chèvre norvégien, de forme haute et de couleur brune que l'on trouve pratiquement sur toutes les tables dans le pays.

Après le petit déjeuner, nous allions chercher nos maillots de bain et tout notre groupe, dix en tout, s'empilait dans notre bateau.

Tout le monde possède un bateau quelconque en Norvège. Personne ne reste à flâner devant l'hôtel. Personne non plus ne s'assied sur la plage, car il n'y a pas de plages où s'asseoir. Au début, nous n'avions qu'une barque à rames, mais c'était une très bonne embarcation. Nous y tenions tous à l'aise et il y avait place pour deux rameurs. Ma mère prenait une paire d'avirons, mon demi-frère prenait l'autre, et nous étions partis.

Ma mère et le demi-frère (il avait environ dix-huit ans à l'époque) étaient tous deux d'excellents rameurs. Leurs gestes étaient parfaitement synchronisés et les rames faisaient clic-clic, clic-clic, dans leurs tolets en bois. Les rameurs ne s'interrompaient pas une seule fois durant le long trajet qui durait quarante minutes. Quant à nous, assis dans le bateau, nous laissions tremper nos doigts dans l'eau translucide, cherchant des yeux les méduses. Nous filions en travers du goulet et glissions dans d'étroits chenaux entre deux îlots rocheux, mettant le cap comme toujours sur une minuscule plage de sable tout à fait secrète située sur une île lointaine et que nous étions les seuls à connaître.

Moi, Alfhild, Else, Norvège, 1924.

Au début, nous avions besoin d'un endroit comme celui-là où nous pouvions patauger et jouer, car ma plus petite sœur n'avait qu'un an, la suivante trois et j'étais moi-même âgé de quatre ans. Les rochers tombant à pic dans une eau profonde n'étaient pas pour nous.

Tous les jours régulièrement, durant plusieurs étés, nous nous dirigeâmes vers cette minuscule langue de sable secrète, sur notre minuscule île secrète. Nous y passions trois ou quatre heures à nous amuser dans l'eau et dans les mares restées au creux des rochers, et à attraper d'extraordinaires coups de soleil.

Quelques années plus tard, lorsque nous fûmes tous un peu plus âgés et que nous eûmes appris à nager, la routine quotidienne changea. Ma mère avait alors fait l'acquisition d'un canot à moteur, un petit bateau en bois peint en blanc qui ne tenait pas très bien la mer, enfonçait beaucoup trop dans l'eau et était propulsé par un moteur à un seul cylindre n'offrant guère de sécurité. Le demi-frère était le seul à pouvoir faire marcher ce moteur, qui démarrait très difficilement. Il était obligé chaque fois de dévisser la bougie et de verser de l'essence dans le cylindre. Il faisait ensuite pivoter énergiquement le lanceur et, avec un peu de chance, après avoir beaucoup toussé et crachouillé, le moteur démarrait enfin.

Lorsque nous fîmes l'acquisition du canot à moteur, ma plus jeune sœur avait quatre ans, j'en avais sept, et nous avions alors tous appris à nager. Grâce à ce nouveau bateau, tellement excitant, nous pouvions nous risquer beaucoup plus loin en mer et chaque jour, nous nous aventurions très au large dans le fjord, à la recherche d'une île différente. Il y en avait des centaines parmi lesquelles choisir. Quelques-unes étaient très petites, pas plus de trente mètres de long. D'autres, assez grandes, atteignaient peut-être huit cents mètres. Nous nous amusions comme des fous à explorer chacune de ces îles avant de plonger du haut des rochers. On trouvait sur ces îles des carcasses en bois de bateaux naufragés, de grands os blanchis, (étaient-ce des ossements humains?), des framboises sauvages, des moules collées aux rochers et, sur certaines, des chèvres aux longs poils rudes et ébouriffés, et même des moutons.

De temps à autre, lorsque nous étions loin au large au-delà de la barrière des îles, le gros temps nous surprenait et c'était alors que ma mère prenait le plus de plaisir à naviguer. Personne, pas même les tout petits, n'était muni de bouée de sauvetage à cette époque. Trempés jusqu'aux os, nous nous cramponnions aux bords de notre drôle de petit canot blanc qui taillait sa route parmi d'énormes vagues frangées d'écume, tandis que ma mère tenait tranquillement la barre. A certaines occasions, je vous assure, les vagues étaient si hautes que lorsque nous glissions dans le creux, le monde entier disparaissait à notre vue. Le petit bateau remontait ensuite, reposant presque à la verticale sur l'arrière, jusqu'à ce que nous ayons atteint la crête de la lame suivante, et on avait alors l'impression d'être au sommet d'une montagne écumante. Il faut être d'une grande habileté pour manier un pareil canot par mer forte : il peut facilement chavirer ou embarquer si l'avant ne fend pas les grandes lames déferlantes sous le bon angle. Mais ma mère savait exactement comment s'y prendre et nous n'avions pas peur. Nous nagions en pleine euphorie, tous autant que nous étions, sauf notre pauvre Nounou qui souffrait le martyre, comme d'habitude. Le visage enfoui dans ses mains, elle suppliait à haute voix le Seigneur de sauver son âme.

En début de soirée, nous partions presque toujours à la pêche. Après avoir ramassé des moules comme appât sur les rochers, nous montions à bord du bateau à rames ou du canot à moteur et nous mettions le cap sur un endroit approprié pour aller y jeter l'ancre. L'eau était très profonde et il nous fallait parfois laisser filer soixante mètres de ligne avant de toucher le fond. Nous restions assis, silencieux, tendus, attendant une touche, et j'étais toujours stupéfait de constater que la plus petite touche au bout de cette longue ligne se transmettait le long du fil aux doigts qui le tenaient. « Ça mord ! » hurlait l'un d'entre nous, en ferrant d'un coup sec. « Je l'ai ! C'est un gros ! Il est énorme ! » Venait ensuite la joie de tirer sur la ligne, une main après l'autre, en regardant par-dessus bord dans l'eau translucide pour voir, à mesure qu'il remontait vers la surface, de quelle taille était en réalité le poisson.

Cabillaud, merlan, haddock, maquereau, nous attrapions de tout et, triomphants, nous portions nos poissons à la cuisine de l'hôtel où la cuisinière, une grosse femme joviale, nous promettait de nous les préparer pour le dîner.

Je vous le dis, mes amis, c'était le bon temps.

Une visite
chez le médecin

Je n'ai qu'un seul mauvais souvenir de mes vacances d'été en Norvège. Nous nous trouvions dans la maison de mes grands-parents à Oslo lorsque ma mère me déclara :

— Nous allons chez le médecin cet après-midi. Il veut examiner ton nez et ta bouche.

Je crois que j'avais huit ans à l'époque.

— Qu'est-ce qu'ils ont, mon nez et ma bouche? demandai-je.

— Pas grand chose, répondit ma mère. Je crois que tu as des végétations.

— C'est quoi, ça?

— Ne t'inquiète pas, dit ma mère. Ce n'est rien du tout.

Nous nous rendîmes à pied chez le médecin, ma mère me tenant par la main. Le trajet nous prit environ une demi-heure. Dans la salle d'opération se trouvait une sorte de fauteuil de dentiste sur lequel on me hissa. Le docteur avait un miroir rond fixé au front et il examina l'intérieur de mon nez et de ma bouche. Il prit ensuite ma mère à part et je les entendis chuchoter. Je vis que ma mère avait l'air plutôt sombre mais elle acquiesça d'un signe de tête.

Le docteur mit alors de l'eau à bouillir dans un récipient en aluminium au-dessus d'un bec de gaz, et dans l'eau en ébullition, il plaça un long instrument en acier, mince et brillant. Assis dans mon fauteuil, je regardais la vapeur monter au-dessus du récipient. Je n'éprouvais pas la moindre appréhension. J'étais trop petit pour comprendre qu'un événement sortant de l'ordinaire allait se produire.

Une infirmière habillée de blanc apparut alors, tenant un tablier en caoutchouc rouge et une petite cuvette incurvée en émail blanc. Elle posa le tablier sur ma poitrine et le noua derrière mon cou. Puis elle tint la cuvette en émail sous mon menton. La courbure de la cuvette s'adaptait parfaitement à celle de ma poitrine.

Le docteur se pencha sur moi, avec, à la main, ce long instrument d'acier brillant. Il le tenait juste devant mon visage et encore aujourd'hui, je peux le décrire parfaitement. A peu près de l'épaisseur et de la taille d'un crayon, il avait, comme la plupart des crayons, plusieurs facettes. Vers l'extrémité, le métal s'amincissait encore et se terminait par une minuscule lame oblique. La lame n'avait pas plus d'un centimètre de long, elle était toute petite, très affûtée et très brillante.

– Ouvre la bouche, me dit le docteur en norvégien.

Je refusai. Je croyais qu'il allait me faire je ne sais quoi aux dents et tout ce qu'on m'avait fait aux dents avait toujours été douloureux.

– Ça ne prendra que deux secondes, insista le docteur.

Il me parlait avec douceur et je me laissai séduire par sa voix. Comme un imbécile, j'ouvris la bouche.

La minuscule lame étincela comme un éclair sous la lumière brillante et disparut dans ma bouche. Elle se posa tout au fond sur mon palais, la main qui tenait l'instrument lui imprima quatre ou cinq petits mouvements tournants très rapides, et l'instant d'après jaillit de ma bouche dans la cuvette une masse de chair sanguinolente.

Je fus à tel point saisi et indigné que je me contentai de pousser un petit cri. J'étais horrifié par les énormes morceaux de chair rouge tombés de ma bouche dans la cuvette blanche et ma première réaction fut de penser que le docteur m'avait arraché toute la moitié de la tête.

– C'était tes végétations, entendis-je le docteur déclarer.

Je suffoquais. Tout mon palais me semblait en feu. Je saisis la main de ma mère et m'y cramponnai de toutes mes forces. Je n'arrivais pas à croire que quelqu'un ait pu me faire un coup pareil.

– Ne bouge pas, me dit le docteur. D'ici une minute, tout ira bien.

Du sang me sortait encore de la bouche et s'égouttait dans la cuvette que tenait l'infirmière.

– Crache bien, me dit-elle. Voilà, tu es un bon petit...

– Tu respireras beaucoup mieux par le nez après ça, dit le docteur.

L'infirmière m'essuya les lèvres et me lava le visage avec un gant de toilette humide. On me souleva alors du fauteuil et on me mit sur pied. Je me sentais un peu groggy.

– Nous allons rentrer à la maison, dit ma mère en me prenant par la main.

Nous descendîmes l'escalier et émergeâmes dans la rue. Et nous nous mîmes en route, à pied. Je dis bien à pied. Pas question de prendre un tramway ou un taxi. Nous fîmes donc à pied le trajet d'une bonne demi-heure pour rentrer chez mes grands-parents, et lorsque nous arrivâmes enfin, je me rappelle nettement ma grand-mère déclarant :

– Laissez-le s'asseoir et se reposer un moment. Après tout, il vient d'être opéré.

Quelqu'un plaça une chaise à côté du fauteuil de ma grand-mère et je m'assis. Ma grand-mère prit une de mes mains dans les deux siennes.

– Ce ne sera pas la dernière fois de ta vie que tu iras chez un docteur, dit-elle. Et avec un peu de chance, ils ne te feront pas trop de mal.

Ceci se passait en 1924, et il était courant, à cette époque, d'enlever les végétations d'un enfant, et même souvent ses amygdales par la même occasion, sans l'endormir. Je me demande, quand même, ce que vous penseriez si un docteur vous faisait ça maintenant.

St Peter's
1925-1929
(de neuf à treize ans)

L'uniforme de St Peters.

Jack Hobbs.
Cumberland Lodge
(Llandaff).

Duckworth Butterflies, ma maison.
St Peters
Moi au premier rang.

Asta, Else, Alfhild, moi.
Cardiff, 1927.

Premier jour

En septembre 1925, alors que je venais d'avoir neuf ans, je m'embarquai dans la première grande aventure de ma vie, le pensionnat. Ma mère avait choisi pour moi un collège privé dans une partie de l'Angleterre aussi proche que possible de chez nous au pays de Galles. Il s'appelait St Peter's. L'adresse postale complète était la suivante : St Peter's School, Weston-super-Mare, Somerset.

Weston-super-Mare était une station balnéaire plutôt modeste avec une vaste plage de sable, une jetée d'une incroyable longueur, une esplanade le long du front de mer, un fouillis d'hôtels et de pensions de famille et environ dix mille petites boutiques vendant des seaux et des pelles, des sucres d'orge et des glaces. Elle est située presque en face de Cardiff de l'autre côté du canal de Bristol, et, par temps clair, de l'esplanade de Weston, on aperçoit à une vingtaine de kilomètres côte du pays de Galles qui se profile, pâle et laiteuse, à l'horizon.

En ce temps-là, le plus simple pour aller de Cardiff à Weston-super-Mare, c'était de prendre le bateau. Ces bateaux étaient superbes. C'étaient des vapeurs à aubes, avec de gigantesques roues sur les côtés, et les roues faisaient un bruit épouvantable en battant et en barattant l'eau.

Le premier jour de mon premier trimestre, je partis en taxi dans l'après-midi avec ma mère pour me rendre à Cardiff afin de prendre le vapeur jusqu'à Weston-super-Mare. Tous les vêtements que je portais étaient flambant neufs et marqués à mon nom. Je portais des souliers noirs, des bas de laine gris aux revers bleus, une culotte courte en flanelle grise, une chemise grise, une cravate rouge, un blazer en flannelle gris avec l'insigne bleu de l'école sur la poche-poitrine et une casquette grise de l'école également ornée du même insigne au-dessus de la visière. On enfourna dans le taxi qui allait nous conduire au port ma malle toute neuve, et ma boîte à nanan, neuve aussi, portant toutes deux l'inscription R. DAHL, peinte en noir.

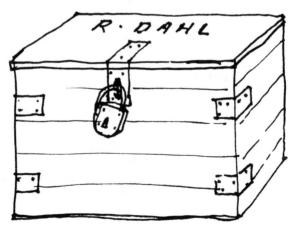

Une boîte à nanan, c'est un petit coffre en bois de pin solidement construit, et pas un seul petit garçon n'est jamais parti comme interne dans un pensionnat anglais sans en emporter une. C'est son propre entrepôt secret, aussi secret que le sac à main d'une dame et, selon une règle tacite, aucun autre garçon, aucun professeur, et pas même le principal, n'a le droit de chercher à voir le contenu de votre boîte à nanan. Le propriétaire garde la clef dans sa poche en toutes circonstances. A St Peter's, les boîtes à nanan étaient rangées les unes contre les autres le long des quatre murs du vestiaire et votre propre boîte était posée juste sous la patère où étaient accrochés vos vêtements de sport. Une boîte à nanan, comme son nom l'indique, c'est une boîte dans laquelle on range ses friandises. Dans les collèges privés, à l'époque, les mères inquiètes envoyaient un colis par semaine à leurs petits garçons voraces, et une boîte à nanan, de façon générale, contenait probablement à n'importe quel moment de l'année : la moitié d'un cake aux raisins fait à la maison, un paquet de biscuits fourrés, deux oranges, une pomme, une banane, un pot de confiture de fraises ou de « marmite », une plaque de chocolat, un sac de bonbons à la réglisse et une boîte de limonade en poudre de chez Bassett. Une école anglaise en ce temps-là appartenait au principal qui la dirigeait, et son but premier était de gagner de l'argent. Il avait donc tout intérêt à nourrir les élèves aussi peu que possible et à encourager les parents, grâce à des ruses variées, à envoyer des colis de nourriture à leurs rejetons.

— Mais certainement, chère madame Dahl, envoyez donc de temps en temps quelques gâteries à votre petit garçon, disait-il. Quelques oranges peut-être, et des pommes une fois par semaine (les fruits coûtaient fort cher), et un bon cake aux raisins, un gros cake peut-être, car les petits garçons ont bon appétit, n'est-ce pas, ha! ha! ha!... Oui, oui, aussi souvent que vous voulez. Plus d'une fois par semaine si vous le désirez... Il sera, bien entendu, très bien nourri ici, la meilleure nourriture possible, mais elle ne lui paraîtra jamais si savoureuse que la cuisine de sa maman, n'est-ce pas? Vous ne voudriez pas, j'en suis sûr, qu'il soit le seul à ne pas recevoir chaque semaine un beau colis de chez lui.

Outre les friandises, une boîte à nanan contenait également toutes sortes de trésors tels que : aimant, canif, compas, pelote de ficelle, voiture de course mécanique, une demi-douzaine de soldats de plomb, une boîte de tours de magie, quelques jeux de puce, un haricot sauteur mexicain, un lance-pierre, des timbres étrangers, une ou deux boules puantes, et je me rappelle un garçon du nom d'Arkle qui avait percé un trou d'aération dans le couvercle de sa boîte à nanan et qui y gardait une grenouille apprivoisée qu'il nourrissait de limaces.

Nous voilà donc partis, ma mère et moi, avec ma malle et ma boîte à nanan. Nous montâmes à bord du vapeur à aubes et traversâmes le canal de Bristol dans une nuée d'embruns. Cette partie du voyage me plut beaucoup, mais je commençai à éprouver une certaine appréhension en débarquant sur la jetée de Weston-super-Mare où la malle et ma boîte à nanan furent cette fois chargées sur un taxi anglais qui allait nous conduire à St Peter's. Je n'avais aucune idée de ce qui m'attendait. Jamais encore je n'avais passé une seule nuit loin de notre nombreuse famille.

St Peter's était construit sur une colline au-dessus de la ville. C'était un long bâtiment en pierre de trois étages qui ressemblait plutôt à un asile de fous. Devant s'étendait la zone réservée aux jeux et aux sports avec trois terrains de football. Un tiers de l'école était réservé au principal et à sa famille. Dans le reste étaient logés les élèves, environ cent cinquante en tout, si mes souvenirs sont exacts.

L'asile de fous !

Lorsque nous descendîmes du taxi, toute l'allée était encombrée de petits garçons accompagnés de leurs parents, avec leur malle et leur boîte à nanan; un homme, que je supposai être le principal, circulait parmi eux, serrant les mains au passage.

Je vous ai déjà dit que tous les directeurs d'école sont des géants et celui-là ne faisait pas exception à la règle. Il avança vers ma mère pour lui serrer la main, puis il serra la mienne et, ce faisant, m'adressa le bref sourire dont un requin pourrait gratifier un petit poisson juste avant de le gober. Une de ses dents de devant, remarquai-je, était sertie d'or et ses cheveux étaient si pommadés qu'ils luisaient comme du beurre.

– Parfait, me dit-il. Allez vite vous présenter à la surveillante. S'adressant à ma mère, il ajouta d'un ton vif : Au revoir, madame Dahl. A votre place, je ne m'attarderais pas. Nous allons nous occuper de lui.

Ma mère comprit l'allusion. Elle m'embrassa sur la joue, me dit au revoir et remonta aussitôt dans le taxi.

Le principal se dirigea vers un autre groupe. Je me retrouvai planté à côté de ma malle flambant neuve et de ma boîte à nanan. Et je me mis à pleurer.

Lettres à ma mère

A St Peter's, le dimanche matin était toujours consacré au courrier. A 9 heures, tous les élèves devaient s'asseoir à leur pupitre et passer une heure à écrire à leurs parents. A 10 h 15, nous mettions nos casquettes, endossions nos manteaux, et nous nous rangions deux par deux devant l'école, formant un rang interminable qui bientôt s'ébranlait en direction de l'église de Weston-super-Mare, à trois kilomètres de là. Nous n'étions pas de retour avant l'heure du déjeuner.

Fréquenter l'église n'est jamais devenu une habitude chez moi. Écrire des lettres, si. Depuis ce tout premier dimanche de St Peter's jusqu'au jour où ma mère mourut trente-deux ans plus tard, je lui écrivis une fois par semaine, parfois davantage, chaque fois que j'étais loin de chez moi. Je lui écrivis toutes les semaines de St Peter's (j'y étais obligé), toutes les semaines de l'école suivante, Repton, et toutes les semaines de Dar es-Salaam en Afrique orientale, où j'occupai mon premier emploi après avoir fini mes études, et ensuite chaque semaine pendant la guerre du Kenya, d'Iraq et d'Égypte quand j'étais pilote dans la R.A.F.

Ma mère, quant à elle, conserva toutes ces lettres, les attachant soigneusement en piles bien nettes avec du ruban vert. Mais ceci était son secret; jamais elle ne me le dit.

En 1957, alors qu'elle se savait proche de la mort, je me trouvais à l'hôpital d'Oxford où j'avais subi une grave opération de la colonne vertébrale et il m'était impossible de lui écrire. Elle fit donc spécialement installer un téléphone près de son lit afin de pouvoir me

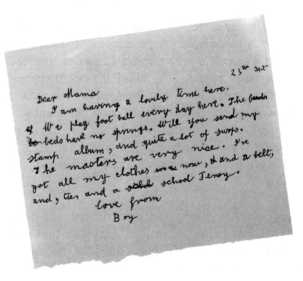

Chère maman   *23 sept.*

Je me plais beaucoup ici. On joue au foot ball tous les jours. Les lits n'ont pas de ressorts. Est-ce que tu peux m'envoyer mon album de timbre et beaucoup de doubles à échanger. Les maitres sont très gentils. J'ai tous mes vêtements maintenant, et une ceinture, et, des cravates et un jersey de l'école.

Je t'embrasse
Boy

parler une dernière fois. Elle ne me prévint pas qu'elle était mourante et personne d'autre non plus, d'ailleurs, car j'étais moi-même dans un état assez critique. Elle me demanda simplement comment j'allais, et m'assura de toute sa tendresse, espérant que j'allais bientôt guérir. J'ignorais totalement qu'elle allait mourir le lendemain, mais elle le savait fort bien, comme elle savait que nous ne nous reverrions pas.

Une fois convalescent, quand je rentrai chez moi, on me donna cette impressionnante collection de mes lettres, toutes soigneusement attachées avec du ruban vert – plus de six cents en tout – datant de 1925 à 1945, toutes dans leur enveloppe d'origine où les vieux timbres étaient encore collés. J'ai une chance extraordinaire de posséder de tels documents auxquels me référer dans ma vieillesse.

Major Gottam va réciter quelque chose appelé «comme il vous plaira» ce soir. Est-ce que tu pourrais m'envoyer des marrons le plus vite possible, mais envoie zen pas trop, envoie les simplement dans une boîte et enveloppe la dans du papier.

19 janvier 1926

Chere maman
  Je suis bien arrivé à l'école. S'il te plait envoie moi mon livre de musique le plus vite possible. N'oublie pas de dire à Smiths d'envoyer «Bubbles».

Je t'embrasse
Boy

La correspondance avec la famille était une affaire sérieuse à St Peter's. C'était pour une grande part une leçon d'orthographe et de ponctuation; car le principal patrouillait dans les salles de classe durant toute la séance, lisant par-dessus nos épaules ce que nous écrivions et nous indiquant nos erreurs. Mais là n'était pas, j'en suis persuadé, la principale raison de son intérêt. Il était là pour s'assurer que nous ne disions rien d'horrible sur l'école. Nous n'avions donc aucun moyen de nous plaindre de quoi que ce fût à nos parents durant le trimestre. Si nous trouvions la nourriture immangeable, ou si nous détestions tel ou tel maître, ou si nous avions été battus pour une faute que nous n'avions pas commise, nous n'osions pas en parler

This is my Christmas wish list, as far as I can see.
A mashie-niblick, (which I have to close).
A decent book.
I cant think of any thing else: I you send me a catalogue
I might be able to tell you.

Voici ma liste de cadeaux de Noël souhaités.
Un mashie-niblick (que je devrai choisir).
Un bon livre.
Je ne vois rien d'autre. Si tu m'envoyais un catalogue, je pourrais peut-être te dire ce que je voudrais.

dans nos lettres. En fait, nous abondions au contraire dans l'autre sens. Pour nous faire bien voir de ce redoutable principal penché sur notre épaule qui lisait ce que nous avions écrit, nous nous répandions en éloges sur l'école et sur la gentillesse de nos maîtres.

Notez bien, le principal était un être astucieux. Il ne voulait pas que nos parents pensent que nos lettres avaient été censurées, et en conséquence il ne nous laissait jamais corriger une faute d'orthographe dans la lettre elle-même. Si, par exemple, j'avais écrit : « Ils mangent toute la pot de la souris... » il disait :

– Vous ne savez pas comment s'écrit peau?

– Si si, monsieur, p.o.t.

– Ça n'est pas le même genre de pot, petit imbécile!

– Quel genre, monsieur? Je... je ne comprends pas.

– Le pot à eau! Le pot à lait! Comment écrivez-vous peau de lapin?

– Je... je ne suis pas très sûr, monsieur.

– Ça s'écrit p.e.a.u, mon garçon, p.e.a.u. Vous allez rester à l'étude cet après-midi et vous m'écrirez ce mot cinquante fois. Non, non! ne le corrigez pas sur votre lettre! Inutile de la raturer encore plus qu'elle ne l'est déjà! Elle doit partir telle que vous l'avez écrite!

, et man caled Mr Nichell gave us a fine lecture last knight on birds, he told us how owls eat mice they eat the hole mouse shin and all, and then all the shin and bones goes into a sort of little parsel in side him and he puts it on the ground, and these are caled pelets, and he showed us some pictures of some witch he has found, and of lotes of other Birds.

Un homme apelé M. Nichell nous a fait une belle conférence yer soir sur les oisaus, il nous a dit comment les ibous mange les souris ils mange toute la pot de la souris et tout et après toute la pot et les osses font une espèce de petit paquet dans son ventre et il le pose par terre, on dirait des boulettes, et il nous a montré des photos de boulettes qu'il avait trouvé, et d'un tas d'autres oisaus.

Ainsi, les parents, ne se doutant de rien grâce à cette subtile méthode, restaient convaincus que votre lettre n'avait jamais été vue, ou censurée, ou corrigée par qui que ce fût.

Voilà la toute première lettre que j'écrivis chez moi depuis St Peter's.

Jan. 27th 1928. St Peter's
Weston-super-mare.

Dear Mama
    Thank you very much for the cake etc.
I got the book the day before yesterday, quite a
nice edition. How are the chicks? hope they'll all
live. By the way, you said she would'nt get
any.

27 janvier 1928   St Peters
                                          Weston super-mare

Chère maman,
    Merci beaucoup pour le gateau, etc. J'ai reçu le livre avant hier, une très belle édition. Comment vont les poussins ? j'espère qu'ils sont tous vivants. Au fait, tu avais dit qu'elle n'en aurait pas.

La surveillante

A St Peter's, tout le rez-de-chaussée était occupé par les salles de classe. Les dortoirs se trouvaient au premier. A l'étage des dortoirs, la surveillante représentait l'autorité suprême. Elle régnait sans partage sur son territoire, disposait là-haut d'un pouvoir absolu et les garçons de onze et douze ans eux-mêmes vivaient dans la terreur de cet ogre femelle, car elle gouvernait avec une poigne d'acier.

La surveillante était une femme blonde et bien en chair, à l'opulente poitrine. Elle ne devait sans doute pas avoir plus de vingt-huit ans, mais peu importait qu'elle eût vingt-huit ou soixante-huit ans car pour nous un adulte était un adulte, et tous les adultes étaient des créatures dangereuses dans cette école.

Une fois que vous étiez arrivé en haut de l'escalier à l'étage des dortoirs, la surveillante vous tenait en son pouvoir, et la source de ce pouvoir c'était le principal, personnage invisible mais terrifiant qui rôdait dans les profondeurs de son cabinet au-dessous. A n'importe quel moment, la surveillante pouvait vous envoyer en pyjama et robe de chambre vous présenter devant ce géant impitoyable et chaque fois que cela arrivait, vous étiez immédiatement frappé à coups de canne. La surveillante le savait et cette perspective la réjouissait.

'We're got a new matron. Last term, one night in the washing room, having inspected a boy called Ford she kissed him and ~ We...

Nous avons une nouvelle surveillante. Au trimestre dernier, un soir dans la salle de douches, après avoir inspecté un garçon appelé Ford, elle l'a embrassé et

Elle pouvait se déplacer dans le couloir à la vitesse de l'éclair et, au moment où on s'y attendait le moins, sa tête et sa vaste poitrine s'encadraient soudain dans la porte du dortoir.

– Qui a jeté cette éponge? lançait sa voix redoutée. C'est vous, Perkins, n'est-ce pas? Ne mentez pas, Perkins! Ne discutez pas avec moi! Je sais parfaitement que c'est vous! Vous pouvez mettre votre robe de chambre et descendre vous présenter devant le principal immédiatement!

A gestes lents, en proie à une terrible appréhension, le petit Perkins, âgé de huit ans et demi, passait sa robe de chambre, chaussait ses pantoufles et disparaissait dans le long couloir qui conduisait à l'escalier du fond et aux appartements privés du principal. Et la surveillante, comme nous le savions tous, le suivait et s'immobilisait au sommet de l'escalier, attendant, une drôle d'expression sur le visage, le pan, pan, pan de la canne qui allait bientôt monter de l'étage en dessous. J'avais toujours l'impression, quand j'entendais ce bruit, que le principal tirait un coup de pistolet dans le plafond de son cabinet de travail.

Quand j'y repense maintenant, il apparaît tout à fait évident que la surveillante détestait vraiment les petits garçons. Jamais un sourire pour nous, jamais un mot gentil, et quand par exemple un pansement collait à une plaie au genou, vous n'étiez pas autorisé à le décoller vous-même petit à petit pour ne pas souffrir. Elle l'arrachait toujours d'un grand geste en marmonnant : « Ne soyez pas ridicule ! Vous vous conduisez comme un bébé ! »

Au cours de mon premier trimestre, je descendis un jour au bureau de la surveillante pour me faire mettre de la teinture d'iode sur un genou écorché, et je ne savais pas qu'il fallait frapper avant d'entrer. J'ouvris donc la porte et avançai innocemment ; elle était là, au beau milieu de l'infirmerie, étroitement enlacée avec le professeur de latin, M. Victor Corrado. Ils s'écartèrent précipitamment l'un de l'autre et tous deux devinrent cramoisis.

– Comment osez-vous entrer ici sans frapper ? hurla la surveillante. J'essaye d'enlever une poussière dans l'œil de M. Corrado et vous entrez comme dans un moulin, pour me déranger au beau milieu de cette opération délicate !

– Excusez-moi, madame la surveillante.

– Sortez et revenez dans cinq minutes ! cria-t-elle, et je bondis hors de la pièce comme un boulet de canon.

Après « l'extinction des feux », la surveillante rôdait dans le couloir comme une panthère, essayant de surprendre des chuchotements derrière la porte d'un dortoir, et nous eûmes vite fait d'apprendre que la finesse de son ouïe était si prodigieuse qu'il était plus prudent de rester silencieux.

Un soir, une fois la lumière éteinte, un garçon courageux du nom de Wragg sortit sur la pointe des pieds de notre dortoir et saupoudra de sucre en poudre tout le linoléum du couloir. Lorsque Wragg revint et nous annonça qu'il avait réussi, je me mis à frissonner d'excitation. Immobile dans mon lit, j'attendais dans le noir que la surveillante commence sa ronde. Rien ne se produisait. Elle est peut-être dans sa chambre, me dis-je, encore en train d'enlever une poussière de l'œil de M. Victor Corrado. Brusquement, de l'autre bout du couloir nous parvint un crrr! retentissant. Crr, Crr, Crr, faisait chaque pas. On aurait dit qu'un géant marchait sur des petits graviers. Nous entendîmes ensuite la voix suraiguë et furieuse de la surveillante au loin.

– Qui a fait ça? glapissait-elle. Comment avez-vous osé?

Avançant bruyamment le long du couloir, elle ouvrait toutes les portes à la volée et allumait toutes les lumières. L'intensité de sa fureur était terrifiante.

– Allez! criait-elle, arpentant le couloir à grands pas qui crissaient. Avouez! Je veux le nom du sale garnement qui a versé le sucre! Avouez immédiatement! Avancez, venez ici! Confessez votre faute!

– N'avoue pas, chuchotâmes-nous à Wragg. On ne te dénoncera pas.

Wragg demeura silencieux. Je ne pouvais pas le lui reprocher. Eût-il avoué, son sort, cela ne faisait aucun doute, eût été terrible et cruel.

Le principal fut bientôt alerté à l'étage en dessous. La surveillante, les naseaux fumants de colère, l'avait appelé à son aide, et nous étions maintenant tous entassés dans le long couloir, frigorifiés, en pyjama et pieds nus, pendant qu'on ordonnait au coupable ou aux coupables de sortir des rangs.

Personne ne bougea.

Je voyais bien que le principal était de plus en plus irrité. Sa soirée avait été interrompue. Des plaques rouges apparaissaient sur tout son visage et il postillonnait en parlant.

– Très bien! tonna-t-il. Chacun d'entre vous va aller chercher immédiatement la clef de sa boîte à nanan! Remettez les clefs à la surveillante, qui les gardera jusqu'à la fin du trimestre! Et tous les colis de vos familles seront dorénavant confisqués! Je ne tolérerai pas ce genre de conduite!

Nous donnâmes nos clefs et pendant les six dernières semaines du trimestre, la faim nous tenailla les entrailles. Mais tout au long de ces six semaines, Arkle continua de nourrir sa grenouille avec des limaces qu'il glissait par le trou percé dans le couvercle de sa boîte à nanan. Chaque jour, à l'aide d'une vieille théière, il versait également de l'eau par le trou pour réconforter la pauvre bestiole et la maintenir dans l'humidité. J'admirais beaucoup Arkle pour sa sollicitude envers sa grenouille. Bien qu'affamé lui-même, il ne voulait pas qu'elle ait faim. Depuis lors, je me suis toujours efforcée d'être bon avec les petits animaux.

Chaque dortoir comportait environ vingt lits, couches étroites rangées le long des murs de chaque côté. Au centre du dortoir se trouvaient les cuvettes où on se lavait le visage, les mains et les dents, toujours à l'eau froide provenant de grands seaux posés à terre. Une fois entré dans le dortoir, il était interdit d'en ressortir sinon pour se rendre au bureau de la surveillante afin de signaler une maladie ou une blessure quelconque.

Sous chaque lit se trouvait un pot de chambre blanc et avant de nous coucher, nous devions nous agenouiller par terre et vider notre vessie dans le pot. Tout autour du dortoir, juste avant « l'extinction des feux », on entendait le bruit liquide des petits garçons faisant pipi dans leur pot. Une fois cette cérémonie accomplie et lorsque vous étiez monté dans votre lit, vous n'étiez plus autorisé à en ressortir avant le lendemain matin. Il y avait, je crois, des toilettes quelque part le long du couloir, mais seule une crise aiguë de diarrhée en permettait l'accès. Une visite aux toilettes vous faisait classer automatiquement dans la catégorie des victimes de la colique, et une cuillerée d'un épais liquide blanc vous était immédiatement enfournée de force par la surveillante. Vous restiez ensuite constipé pendant une semaine.

Thanks for your letter. there are exactly 23!!!!! boys with the measles and all the other schools (boys) in here have got it. Hope Louis hasn't had anything else wrong on...

Merci de ta lettre. Il y a exactement 23!!!!! garçons qui ont la rougeole et tous les autres écoliers à West... l'ont. J'espère que Louis n'a pas eu d'autres ennuis...

Lors de ma première nuit à St Peter's, lorsque, malade de chagrin, je me pelotonnai dans mon lit et qu'on éteignit les lumières, je ne pus penser à rien d'autre qu'à notre maison chez nous, à ma mère et à mes sœurs. Où étaient-elles? me demandais-je. Par rapport à l'endroit où j'étais étendu, dans quelle direction se trouvait Llandaff? Je commençai à m'orienter et ce fut très facile parce que j'avais le canal de Bristol pour m'aider. Si je regardais par la fenêtre du dortoir, je voyais le canal lui-même, et la grande ville de Cardiff, avec Llandaff à proximité, se trouvait presque en face, légèrement au nord. Par conséquent, si je me tournais vers la fenêtre, je serais face à ma maison. Je me retournai dans mon lit pour me mettre face à ma maison et à ma famille.

Sais tu qu'un garçon appelé Ford a une double pneumonie en plus de la rougeole ! Nous ne devons pas faire plus de bruit que des souris pour nous mettre au lit.

A partir de ce soir-là, durant tout mon séjour à St Peter's, je ne me suis jamais endormi en tournant le dos à ma famille. Des lits différents dans des dortoirs différents m'obligèrent plusieurs fois à m'orienter de nouveau, mais j'avais toujours le canal de Bristol pour me guider et j'ai toujours été en mesure de tracer un trait imaginaire depuis mon lit jusqu'à notre maison au pays de Galles. Je ne me suis pas endormi une seule fois sans être tourné vers ma famille ; c'était un grand réconfort pour moi de me comporter ainsi.

Durant mon premier trimestre, il y avait dans mon dortoir un garçon du nom de Tweedie qui, une nuit, se mit à ronfler peu après s'être endormi.

– Qui est-ce qui parle ? cria la surveillante en faisant irruption.

Mon lit était tout près de la porte et je me souviens l'avoir regardée depuis mon oreiller et, en la voyant ainsi se découper sur la lumière du couloir, avoir pensé qu'elle était vraiment terrifiante à voir. Je crois que ce qui m'effrayait le plus chez elle, c'était son énorme poitrine. J'avais les yeux rivés dessus, et pour moi ses seins évoquaient un bélier ou la proue d'un brise-glace ou peut-être encore deux bombes de forte puissance.

– Avouez! glapit-elle. Qui parlait?

Personne ne dit mot. Puis Tweedie, qui dormait comme une souche, étendu sur le dos, la bouche ouverte, laissa échapper un autre ronflement.

La surveillante fixa son regard sur Tweedie.

– Ronfler est une habitude répugnante, dit-elle. Seuls les gens du commun ronflent. Nous allons être obligés de lui donner une leçon.

Sans allumer, elle avança dans la salle et prit un morceau de savon dans la cuvette la plus proche. L'ampoule nue du couloir illuminait tout le dortoir d'une pâle lueur crémeuse. Aucun d'entre nous n'osa se redresser dans son lit, mais tous les yeux étaient maintenant fixés sur la surveillante, épiant chacun de ses gestes. Elle avait toujours une paire de ciseaux accrochée à la ceinture par un ruban blanc et elle s'en servait maintenant pour tailler de minces copeaux de savon qu'elle faisait tomber au creux de sa main. Elle se dirigea ensuite vers le malheureux Tweedie et elle laissa glisser les écailles de savon dans sa bouche ouverte. Elle en avait une pleine poignée et j'eus l'impression qu'elle ne s'arrêterait jamais.

Seigneur, qu'allait-il se passer? me demandais-je. Tweedie allait-il s'étouffer? S'étrangler? Est-ce que sa gorge risquait de se bloquer complètement? Allait-elle le tuer?

La surveillante recula de deux pas et croisa les bras sur ou plutôt sous sa corpulente poitrine. Rien ne se passait. Tweedie continuait à ronfler. Puis brusquement il se mit à gargouiller et des bulles blanches apparurent autour de ses lèvres. Les bulles se mirent à grossir et à se multiplier et, pour finir, son visage tout entier fut recouvert d'une bouillonnante écume blanche et savonneuse. C'était un spectacle horrible. D'un seul coup, Tweedie se mit à tousser violemment, à crachouiller, et il se redressa brutalement sur son séant en se prenant le visage à deux mains.

– Oh! bredouilla-t-il. Oh! Oh! Oh! Oh! Oh non! Qu'est-ce qui se passe? Qu'est-ce que j'ai sur la figure? Au secours!

La surveillante lui jeta un gant de toilette.

– Essuyez-moi ça, Tweedie. Et que je ne vous entende plus jamais ronfler. On ne vous a jamais appris qu'il ne fallait pas dormir sur le dos?

Là-dessus, elle sortit à grands pas du dortoir et claqua la porte derrière elle.

Ford va toujours très mal, il allait mieux vendredi mais il est de nouveau très malade.
P.S. On vient de nous annoncer que le pauvre petit Ford est mort tôt ce matin.

Le mal du pays

Pendant tout mon premier trimestre à St Peter's, j'eus le mal du pays. Le mal du pays, c'est un peu comme le mal de mer. On ne sait pas à quel point c'est épouvantable jusqu'à ce qu'on en soit affligé, et quand ça arrive, on reçoit comme un choc au creux de l'estomac et on a envie de mourir. La seule consolation, c'est que le mal du pays comme le mal de mer sont curables instantanément. Le premier disparaît à l'instant même où l'on sort de l'enceinte de l'école et on oublie le second dès que le bateau entre au port.

J'étais si atrocement malheureux durant les deux premières semaines que je décidai de tenter un coup pour me faire renvoyer à la maison, ne fut-ce que pour quelques jours. Mon idée, c'était de simuler une foudroyante crise d'appendicite.

Vous allez sans doute trouver idiot qu'un petit garçon de neuf ans se croie capable de réussir un truc pareil, mais j'avais d'excellentes raisons d'essayer. Un mois seulement auparavant, ma demi-sœur, qui avait douze ans de plus que moi, avait effectivement eu l'appendicite et durant plusieurs jours avant son opération, j'avais pu observer de près son comportement. J'avais remarqué qu'elle se plaignait surtout d'une vive douleur au ventre, en bas à droite. En outre, elle vomissait sans arrêt, refusait de manger et avait de la température.

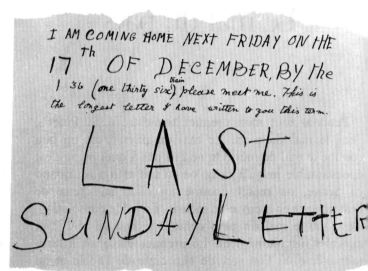

I AM COMING HOME NEXT FRIDAY ON THE 17th OF DECEMBER, BY the 1 36 (one thirty six) please meet me. This is the longest letter I have written to you this term.

LAST SUNDAY LETTER

Je rentre à la maison vendredi prochain 17 décembre, par le train de 1 h 36 (une heure trente six). Viens me chercher s'il te plait. Cette lettre est la plus longue que je t'ai ecrit pendant ce trimestre.
DERNIERE LETTRE DU DIMANCHE

Cela vous intéressera peut-être de savoir, d'ailleurs, que ma sœur eut son appendice enlevé non pas dans la salle d'opération d'un bon hôpital, pleine de lumières brillantes et d'infirmières en blouse blanche, mais sur la table même de notre nursery à la maison par le docteur du coin et son anesthésiste. A cette époque, il était assez courant pour un médecin d'arriver chez vous avec une trousse d'instruments, de couvrir d'un drap stérile la table la plus commode et de se mettre à l'œuvre. Pour cette occasion, je me vois encore caché dans le couloir près de la nursery durant l'opération. Mes autres sœurs étaient avec moi, et nous attendions, fascinés, écoutant les murmures assourdis des docteurs derrière la porte fermée à clef, et imaginant la patiente avec le ventre fendu en deux, comme un quartier de bœuf. Nous pouvions même sentir l'odeur écœurante de l'éther filtrant par-dessous la porte.

Le lendemain, nous fûmes autorisés à examiner l'appendice lui-même dans un bocal en verre. C'était une sorte de ver de terre noirâtre, assez long et je demandai :

— J'ai un truc comme ça dans le ventre, Nounou?

— Tout le monde en a, répondit Nounou.

— A quoi ça sert?

— Les voies du Seigneur sont impénétrables, dit-elle, ce qui était son explication courante lorsqu'elle ignorait la réponse à une question posée.

— Et qu'est-ce qui le rend malade? demandai-je.

— Les poils de brosse à dents, répondit-elle, sans la moindre hésitation cette fois.

— Les poils de brosse à dents! m'exclamai-je. Comment des poils de brosse à dents pourraient-ils abîmer un appendice?

Merci beaucoup pour le dentifrice et la brosse à dents et le chocolat. je suis maintenant à l'entrainement et je n'ai le droit de manger que des fruits...

Nounou, qui à mes yeux était douée de plus de sagesse que Salomon, répondit :

— Quand un poil se détache de ta brosse à dents et que tu l'avales, il se plante dans ton appendice et le fait pourrir. Pendant la guerre, poursuivit-elle, des espions allemands s'arrangeaient pour introduire dans nos magasins des caisses entières de brosses à dents dont les poils ne tenaient pas bien et des millions de nos soldats ont eu l'appendicite.

— C'est vrai, Nounou? m'écriai-je. C'est vraiment vrai?

— Je ne te mens jamais, mon enfant, répondit-elle. Alors que ça te serve de leçon : n'utilise jamais une vieille brosse à dents.

Par la suite, durant des années, je m'inquiétai chaque fois que je trouvais un poil de brosse à dents sur ma langue.

Lorsque je montai frapper à la porte marron après le petit déjeuner, je n'avais même pas peur de la surveillante.

— Entrez! tonna sa voix.

J'avançai dans la pièce, une main crispée sur le côté droit de mon ventre, d'une démarche pathétiquement chancelante.

— Qu'est-ce que vous voulez? hurla la surveillante, et la vigueur même de sa voix fit trembler sa poitrine tel un gigantesque flan.

— J'ai mal, madame la surveillante, dis-je d'une voix gémissante. Oh, j'ai tellement mal! Juste là!

— Vous avez trop mangé, aboya-t-elle. Qu'est-ce que vous vous imaginez, si vous vous goinfrez de cake à longueur de journée?

— Je n'ai rien mangé depuis des jours, prétendis-je.

Je ne pouvais rien avaler, madame la surveillante! Je ne pouvais pas, tout simplement!

— Étendez-vous sur le lit et baissez votre culotte, ordonna-t-elle.

Je me couchai sur le lit et elle commença à me palper violemment le ventre avec les doigts. J'épiai attentivement ses gestes et lorsqu'elle appuya à l'endroit où je supposais se trouver l'appendice, je poussai un cri qui fit vibrer les vitres.

— Aïe! Aïe! Aïe! hurlai-je. Ne faites pas ça, madame la surveillante, je vous en prie! (J'abattis alors mon atout maître.) J'ai vomi toute la matinée, pleurnichai-je, et maintenant je n'ai plus rien à vomir, mais je continue à avoir mal au cœur!

C'était bien joué. Je la vis hésiter.

— Restez là, dit-elle, et elle sortit rapidement de la pièce.

C'était peut-être une femme brutale et malfaisante, mais elle avait fait des études d'infirmière et ne tenait pas à se retrouver avec une péritonite sur les bras.

Le docteur arriva en moins d'une heure, entreprit à son tour de me palper et de m'appuyer sur le ventre, et je poussai des cris déchirants aux moments que je jugeai appropriés. Il me glissa ensuite un thermomètre dans la bouche.

— Hmmm, fit-il. Température normale. Voyons, laisse-moi t'examiner à nouveau.

— Aïe! hurlai-je dès qu'il effleura l'endroit crucial.

Le docteur se retira de la pièce en compagnie de la Surveillante. La surveillante revint une demi-heure plus tard et m'annonça :

— Le principal a téléphoné à votre mère et elle viendra vous chercher cet après-midi.

Je ne fis aucun commentaire. Je restai couché m'efforçant de paraître au plus mal, mais dans mon cœur résonnaient toutes sortes de merveilleux chants de louanges et de joie.

Je traversai le canal de Bristol sur le vapeur à aubes pour rentrer chez moi, et j'éprouvais un tel sentiment de bonheur depuis que j'avais quitté ma redoutable école que j'en oubliais presque que j'étais censé être malade. Dans l'après-midi, je fus examiné par le Dr Dunbar dans son cabinet de Cathedral Road, à Cardiff, et j'essayai d'utiliser à nouveau les subterfuges qui m'avaient si bien réussi. Mais le Dr Dunbar était plus avisé et beaucoup plus compétent que la surveillante ou le médecin de l'école. Après m'avoir palpé le ventre et entendu pousser des cris de douleur, il me dit :

— Tu peux te rhabiller maintenant. Tiens, assieds-toi sur cette chaise.

Lui-même s'assit derrière son bureau et me fixa d'un regard pénétrant mais dépourvu de méchanceté.

— Tu joues la comédie, n'est-ce pas? demanda-t-il.

— Comment le savez vous? bredouillai-je.

— Parce que tu as le ventre souple et parfaitement normal, répondit-il. Si tu avais une inflammation quelconque, il serait dur et tendu. C'est très facile de voir la différence.

Je demeurai silencieux.

— Je suppose que tu t'ennuies de chez toi? reprit-il
J'acquiesçai misérablement d'un signe de tête.

— C'est normal au début, dit-il. Il faut que tu serres les dents. Et tu ne dois pas en vouloir à ta mère de t'avoir envoyé dans un pensionnat. Elle trouvait que tu étais trop jeune pour partir de chez toi, mais c'est moi qui l'ai persuadée que c'était la meilleure chose à faire. La vie n'est pas une partie de plaisir et plus vite tu apprendras à t'en tirer, mieux ça vaudra pour toi.

— Qu'est-ce que vous allez leur dire, à l'école? demandai-je en tremblant.

— Je leur dirai que tu avais une grave infection intestinale que je traite avec des cachets, répondit-il en souriant. Cela signifie que tu devras rester à la maison encore pendant trois jours. Mais promets-moi de ne pas recommencer ce genre de plaisanterie. Ta mère a déjà suffisamment de problèmes sans être en plus obligée de se ruer à l'école pour aller te chercher.

— Je vous le promets, dis-je. Je ne le ferai jamais plus.

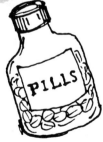

I'm taking the Calsium, but have'nt needed one of the Pills yet.

Je prends le Calsium, mais n'ai pas encore eu besoin des pilules.

Une promenade dans la voiture

Je réussis tant bien que mal à parvenir au bout du premier trimestre à St Peter's et, vers la fin décembre, ma mère traversa par le bateau à roues pour venir me chercher et me ramener, moi et ma malle, à la maison pour Noël.

Dear Mama   Dec 9th

Just to make it a bit
planer, I will be coming
home on Dec 17ᵗʰ not the 18ᵗʰ
I will arrive a Cardiff a four
o'clok please meet me, if
that is not quite planer
noule let me know what you
want to know about it.
Love from Boy

Chère maman,   *8 déc.*
pour mieux t'expliqué, je vais rentrer le 17 déc. pas le 18.
J'ariverai à Cardiff à quatre heures. S'il te plait viens me
chercher. Si c'est pas assez claire, dis moi ce que tu veux savoir
de plus.

je t'embrasse
Boy

Oh! le bonheur, la joie sans mélange de me retrouver enfin avec ma famille après toutes ces semaines de discipline impitoyable! A moins d'avoir été pensionnaire dans sa toute petite enfance, il est absolument impossible d'apprécier les charmes de la vie en famille. Cela vaut presque la peine de s'en aller tant le retour est merveilleux. Je n'arrivais pas à croire que je n'étais plus obligé de me laver à l'eau froide le matin, ou de garder le silence dans les couloirs, ou de dire « monsieur » à tous les hommes adultes que je croisais, ou de me servir d'un pot de chambre avant de me coucher, ou de recevoir des coups de serviette humide lorsque je me trouvais nu au vestiaire, ou de manger au petit déjeuner du porridge plein de grumeaux grisâtres semblables à des crottes de mouton, ou de vivre toute la journée dans la peur permanente de la longue canne jaune posée sur la console dans le cabinet d'études du principal.

Le temps était particulièrement clément lors de ces vacances de Noël et, par une extraordinaire matinée, toute la famille s'apprêta à partir pour sa première promenade dans la première automobile que nous ayons jamais possédée. C'était une énorme voiture française noire de la marque De Dion-Bouton, équipée d'une capote rabattable. Ma demi-sœur, de douze ans mon aînée (elle avait alors vingt et un ans) – celle qui venait d'être opérée de l'appendicite – en serait la conductrice. Elle avait pris deux bonnes demi-heures de leçon de conduite avec l'employé qui était venu livrer la voiture, et en l'an de grâce 1925, cet apprentissage était considéré comme amplement suffisant. Personne n'était obligé de passer un permis de conduire. Vous jugiez vous-même de votre compétence et dès que vous vous sentiez prêt à démarrer, vous vous lanciez joyeusement.

Nous nous empilâmes tous à bord de la voiture, en proie à une excitation à peine supportable. Les exclamations fusaient.

6925-DK75

— Elle fait du combien? Elle peut rouler à quatre-vingts à l'heure?

— Elle peut faire du quatre-vingt-dix! rétorqua la grande sœur.

Son ton impliquait une telle assurance, une telle audace qu'il aurait dû nous faire frémir de peur, mais il n'en fut rien. Et nous nous mîmes à vociférer :

— Oh, roule à quatre-vingt-dix! Tu nous promets de nous faire rouler à quatre-vingt-dix?

— Nous roulerons même plus vite que ça sans doute, annonça notre sœur en enfilant ses gants de conducteur et en nouant une écharpe sur sa tête comme le voulait la mode à cette époque pour les automobilistes.

La capote en toile avait été repliée, étant donné la douceur du temps, ce qui transformait la voiture en une magnifique torpédo. A l'avant se trouvaient trois d'entre nous, la conductrice au volant, mon demi-frère (de dix-huit ans) et une de mes sœurs (celle de douze ans). A l'arrière, les quatre autres membres de la famille, ma mère (quarante ans), deux petites sœurs (huit et cinq ans) et moi-même (neuf ans). Notre véhicule était nanti d'un équipement spécial que l'on ne trouve plus, je pense, sur les voitures de nos jours. Il y avait un deuxième pare-brise à l'arrière, destiné uniquement à protéger de l'air les passagers quand la capote était repliée. Outre le panneau central, le pare-brise comportait aux extrémités deux volets mobiles pivotant vers l'arrière pour dévier le vent.

Nous étions tout frémissant de joie et de crainte lorsque la conductrice débraya et que la longue automobile noire s'ébranla. Nous nous mîmes à hurler :

– Tu es sûre que tu sais comment t'y prendre? Tu sais où est le frein?

– Taisez-vous! fit sèchement la grande sœur. Il faut que je me concentre!

Nous descendîmes l'allée pour déboucher dans le village de Llandaff lui-même. Fort heureusement, il y avait bien peu de véhicules sur les routes en ce temps-là. Nous croisions de temps à autre une camionnette ou un fourgon de livraison, et parfois une voiture particulière, mais les dangers de collision étaient relativement rares tant que la voiture restait sur la route.

La splendide torpédo noire traversa au pas le village, la conductrice pressant la poire en caoutchouc de la trompe chaque fois que nous croisions un être humain, fût-ce le commis boucher sur sa bicyclette ou un simple passant flânant sur le trottoir. Bientôt nous émergeâmes dans la campagne, au milieu de champs verdoyants bordés de hautes haies, sans une âme en vue.

– Vous ne pensiez pas que j'y arriverais, hein? s'écria la grande sœur en se tournant vers nous, un grand sourire aux lèvres.

– Regarde donc devant toi! dit ma mère avec nervosité.

– Plus vite! hurlâmes-nous. Vas-y! Roule plus vite! Accélère! On fait à peine du vingt-cinq à l'heure!

Éperonnée par nos cris et nos railleries, la grande sœur commença à accélérer. Le moteur rugit et la carrosserie vibra. La conductrice se cramponnait au volant comme aux cheveux d'un homme qui se noie et nous avions tous les yeux fixés sur le compteur de vitesse où l'aiguille grimpait lentement vers trente, quarante, puis quarante-cinq. Nous avions sans doute atteint la vitesse de cinquante à l'heure lorsque nous arrivâmes à un tournant assez aigu. La grande sœur, n'ayant jamais eu à affronter pareille situation, hurla : « Au secours! » écrasa le frein et braqua frénétiquement le volant. Les roues arrière se bloquèrent et dérapèrent brutalement, puis, dans un merveilleux fracas de garde-boue et de métal, nous percutâmes la haie. Les passagers avant furent tous projetés à travers le pare-brise avant et les passagers arrière à travers le pare-brise arrière. Les éclats de verre (le Triplex n'existait pas alors) volèrent dans toutes les directions et nous de même. Mon frère et une de mes sœurs atterrirent sur le capot de la voiture, quelqu'un d'autre fut catapulté sur la route et une des petites sœurs au moins atterrit au milieu de la haie d'épines. Miraculeusement, néanmoins, personne ne fut vraiment blessé à part moi. Mon nez avait été presque sectionné lors de ma traversée du pare-brise et ne tenait plus que par un lambeau de peau. Ma mère s'extirpa de la mêlée et empoigna un mouchoir dans son sac. Elle rabattit vivement ce nez qui pendait et le maintint en place.

Pas une maison, pas une personne en vue, encore moins un téléphone. Un oiseau gazouillait dans un arbre un peu plus loin au bord de la route, sinon tout était silencieux.

Ma mère, courbée sur moi à l'arrière de la voiture, me disait :

— Penche-toi en arrière et ne bouge pas la tête. A la grande sœur, elle demanda : Tu ne peux pas remettre cette machine en route?

La grande sœur appuya sur le starter et, à la surprise général, le moteur démarra.

— Dégage-toi de la haie, dit ma mère. Et fais vite.

La grande sœur n'arrivait pas à trouver la marche arrière. Les pignons grinçaient les uns contre les autres dans un terrible bruit de métal torturé.

— En fait, je n'ai jamais fait de marche arrière, finit-elle par admettre.

Tout le monde, à l'exception de la conductrice, de ma mère et de moi-même, était descendu de la voiture et se tenait sur la route. Le bruit des pignons de la boîte de vitesse était épouvantable. On aurait dit qu'on passait une tondeuse à gazon sur des cailloux. La grande sœur, cramoisie, marmonnait des gros mots, mais mon frère se pencha alors à la portière de son côté et demanda :

— Il ne faut pas que tu débrayes?

La conductrice, à bout de nerfs, appuya sur la pédale de débrayage, les vitesses s'enclenchèrent et une seconde plus tard, l'énorme bête noire, arrachée à la haie, bondit en arrière et alla percuter la haie d'en face, de l'autre côté de la route.

– Essaye de rester calme, dit ma mère. Avance tout doucement.

Pour finir, la voiture cabossée fut sortie de la deuxième haie et s'immobilisa en travers, bloquant la route. Un homme dans une carriole tirée par un cheval apparut peu après. Descendant de sa carriole, il se dirigea vers nous et se pencha par-dessus la portière arrière. Il avait une grosse moustache tombante et portait un petit chapeau melon noir.

– Vous avez fait un beau gâchis, pas vrai? dit-il à ma mère.

– Savez-vous conduire une voiture? lui demanda ma mère.

– Non, répondit-il. Et vous bloquez la route. J'ai un millier d'œufs fraîchement pondus dans c'te carriole et faut que je les porte au marché avant midi.

– Écartez-vous du chemin, lui dit ma mère. Vous ne voyez pas qu'il y a un enfant gravement blessé?

– Un millier d'œufs fraîchement pondus, répéta l'homme, en regardant la main de ma mère, le mouchoir gorgé de sang et le sang qui coulait sur son poignet. Et si je les porte pas au marché aujourd'hui avant midi, je pourrai pas les vendre avant la semaine prochaine. Et ça sera plus des œufs du jour, hein? Et j'aurai sur les bras un millier d'œufs pas frais que personne voudra.

– J'espère qu'ils seront tous pourris! dit ma mère. Maintenant, vous allez immédiatement reculer avec votre carriole. Et aux enfants qui se tenaient sur la route, elle cria : Montez dans la voiture! Nous allons chez le docteur!

— Il y a plein de verre sur les sièges! glapirent-ils.

— Aucune importance! rétorqua ma mère. Il faut que nous amenions cet enfant chez le docteur le plus vite possible.

Tout le monde reprit sa place dans l'auto. L'homme fit reculer son cheval et la carriole à une distance suffisante. La grande sœur réussit à redresser la De Dion et à l'orienter dans la bonne direction et enfin, l'automobile dont la splendeur n'était déjà plus qu'un souvenir, s'engagea tant bien que mal sur la grand-route, et mit le cap sur le cabinet du Dr Dunbar dans Cathedral Road, à Cardiff.

— Je n'ai jamais conduit en ville, annonça en tremblant la grande sœur.

— Il y a un début à tout dit ma mère. Roule!

Ne dépassant pas dix kilomètres à l'heure pendant tout le trajet, nous arrivâmes enfin à la maison du Dr Dunbar. Je fus extirpé de la voiture et poussé à l'intérieur, avec ma mère tenant toujours le mouchoir saturé de sang fermement plaqué sur mon nez tremblotant.

— Seigneur Dieu! s'exclama le Dr Dunbar. Il est presque détaché!

— J'ai mal! dis-je d'une voix gémissante.

— Il ne peut pas rester sans nez jusqu'à la fin de ses jours! déclara le docteur à ma mère.

— J'ai bien peur qu'il n'ait pas le choix, dit ma mère.

— Absurde! dit le docteur. Je vais le lui recoudre.

– Vous pourriez faire ça? demanda ma mère.

– Je peux essayer, répondit-il. Je vais le lui bander serré pour le moment et je serai chez vous avec mon assistant d'ici une heure.

De larges bandes de taffetas gommé furent collées en travers de mon visage pour maintenir mon nez en place. Puis je fus ramené à la voiture et, à la vitesse d'un escargot, nous parcourûmes les trois kilomètres qui nous séparaient de Llandaff.

Une heure plus tard environ, je me retrouvai étendu sur cette même table de la nursery que ma grande sœur avait occupée quelques mois auparavant pour être opérée de l'appendicite. Des mains robustes m'immobilisèrent tandis qu'un masque bourré de ouate était appuyé sur mon visage. Je vis une main au-dessus de moi tenant une bouteille pleine d'un liquide blanc, et le liquide blanc fut versé sur la ouate à l'intérieur du masque. De nouveau je sentis l'odeur écœurante du chloroforme et de l'éther tandis qu'une voix disait :

– Respire profondément... Bien profondément...

Je me débattis frénétiquement pour descendre de la table, mais mes épaules étaient maintenues par un homme robuste pesant dessus de tout son poids. La main qui tenait la bouteille au-dessus de mon visage la penchait de plus en plus en avant et le liquide blanc s'égouttait sur la ouate. Des cercles rouge sang apparurent devant mes yeux puis se mirent à tournoyer pour se muer enfin en un tourbillon écarlate qui entourait un profond trou noir en son centre. A des kilomètres au loin, une voix disait :

– Très bien, mon petit. On est presque arrivé maintenant... presque arrivé... ferme les yeux simplement et dors...

Je me réveillai dans mon propre lit. Ma mère, le visage anxieux, était assise à mon chevet et me tenait la main.

– J'ai cru que tu ne te réveillerais jamais, dit-elle. Ça fait plus de huit heures que tu dors.

– Le Dr Dunbar a recousu mon nez? demandai-je.

– Oui.

– Il va tenir?

– Oui, d'après lui. Comment te sens-tu, mon chéri?

– J'ai mal au cœur.

Après avoir vomi dans une petite cuvette, je me sentis mieux.

– Regarde sous ton oreiller, dit ma mère en me souriant.

Je me tournai sur le côté et soulevai un coin de mon oreiller. En dessous, sur le drap blanc comme neige, était posé un beau souverain en or frappé à l'effigie du roi George V.

– Pour ton courage, dit ma mère. Tu t'es très bien comporté. Je suis fière de toi.

Le capitaine Hardcastle

Nous les appelions des maîtres à cette époque, non des professeurs, et à St Peter's, celui que je redoutais le plus, à part le principal, c'était le capitaine Hardcastle.

Cet homme mince et nerveux était un grand amateur de football. Sur le terrain de foot, il portait une culotte de sport blanche, des sandales de gymnastique blanches et de courtes chaussettes blanches. Il avait des jambes minces et dures comme celles d'un bélier, et la peau autour de ses mollets était presque exactement de la couleur du gras de mouton. Ses cheveux n'étaient pas roux mais d'un vermillon éclatant, couleur d'orange mûre, et plaqués à l'aide d'une énorme quantité de brillantine, comme ceux du principal. Sa raie formait une ligne blanche au milieu de son crâne, une ligne si droite qu'elle semblait tracée à la règle. De part et d'autre, on voyait les traces du peigne imprimées dans cette chevelure orange et graisseuse, tels des rails de tramway.

Le capitaine Hardcastle arborait une moustache de la même couleur que ses cheveux, et quelle moustache! Une vision absolument terrifiante, épaisse broussaille orange qui poussait et fleurissait entre son nez et sa lèvre supérieure et lui barrait le visage de la moitié d'une joue jusqu'à la moitié de l'autre. Il ne s'agissait pas d'une de ces moustaches du genre brosse à ongles, courte, raide et bien taillée. Elle n'était pas non plus longue et tombante, style morse. Non, elle se composait d'une masse de bouclettes retroussées vers le haut, comme si elle avait subi une permanente ou le traitement d'un fer à friser chauffé chaque matin sur la minuscule flamme d'un réchaud à alcool. Le seul autre procédé qui lui aurait permis d'obtenir cet effet de boucles, avions-nous décidé, c'était un brossage quotidien prolongé des poils vers le haut avec une brosse à dents bien dure, devant une glace.

Derrière la moustache rougeoyait un visage brutal au front bas et sillonné de rides profondes, qui trahissait une intelligence des plus limitées. « La vie est une énigme, semblait dire le front plissé, et le monde un endroit dangereux. Tous les hommes sont des ennemis et les petits garçons des insectes qui vous agressent et vous mordent à moins que vous ne preniez les devants pour les écrabouiller. »

Le capitaine Hardcastle était incapable de rester en place. Sa tête orange remuait perpétuellement, agitée de mouvements saccadés des plus alarmants; chaque saccade s'accompagnait d'un petit grognement qui lui sortait des narines. Il avait servi dans l'infanterie durant la Grande Guerre et c'était alors, bien entendu, qu'il avait gagné ses galons. Mais même de dérisoires insectes comme nous savaient que le grade de « capitaine » n'avait rien de particulièrement exaltant et il fallait qu'un homme n'ait vraiment aucun autre titre de gloire pour s'y cramponner dans la vie civile. C'était déjà peu reluisant de continuer à se faire appeler « commandant » une fois la guerre terminée, mais se faire appeler « capitaine », c'était vraiment en dessous de tout.

Le bruit courait que ces tics permanents, ces secousses de la tête, ces grognements étaient le résultat d'un traumatisme de guerre, mais nous ne savions pas exactement ce que cela signifiait. Nous supposions qu'un objet avait dû exploser tout près de lui dans un fracas terrifiant, le faisant sauter en l'air, et que, depuis, il n'avait plus cessé de sauter.

Pour une raison que je n'ai jamais réussi à comprendre vraiment, le capitaine Harcastle m'avait pris en grippe le jour même de mon arrivée à St Peter's. Peut-être parce qu'il enseignait le latin, matière pour laquelle j'étais peu doué. Peut-être parce qu'à l'âge de neuf ans, j'étais déjà presque aussi grand que lui. Ou plutôt parce que sa gigantesque moustache orange me déplut d'emblée et qu'il me surprenait souvent en train de la fixer avec un petit sourire sans doute ironique. Il me suffisait de passer à trois mètres de lui dans un couloir pour qu'il me foudroie du regard et vocifère : « Tenez-vous droit, mon garçon! Les épaules en arrière! » ou : « Sortez donc les mains de vos poches! » ou : « Qu'est-ce qu'il y a de si drôle, si je peux me permettre cette question? Qu'est-ce qui vous fait ricaner? » ou encore, le plus insultant de tout : « Dites donc, vous, comment vous appelez-vous déjà... allez, au travail! » Je savais donc que ce n'était qu'une question de temps

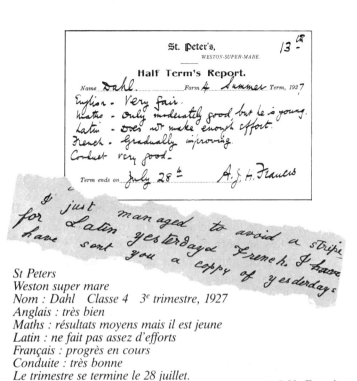

St Peters
Weston super mare
Nom : Dahl   Classe 4   3ᵉ trimestre, 1927
Anglais : très bien
Maths : résultats moyens mais il est jeune
Latin : ne fait pas assez d'efforts
Français : progrès en cours
Conduite : très bonne
Le trimestre se termine le 28 juillet.

A.J.H. Francis

J'ai tout juste évité une Barre hier en latin et en français Je t'ai envoyé un double de

avant que le bouillant capitaine ne me coince pour de bon.

Le drame se noua au deuxième trimestre, alors que j'avais exactement neuf ans et demi, durant l'étude du soir. Chaque jour de la semaine, tous les élèves passaient une heure dans la grande salle d'étude, entre 6 et 7 heures, pour faire leurs devoirs. Le maître, de service pour la semaine, assis sur une estrade à l'un des bouts de la salle, veillait à la discipline. Certains lisaient un livre tout en surveillant l'étude, et d'autres corrigeaient des copies, mais pas le capitaine Harcastle. Perché sur l'estrade, il remuait la tête et grognait sans jamais baisser le regard sur son bureau. Durant soixante minutes ses petits yeux d'un bleu laiteux épiaient sans trêve la salle, à l'affût de la moindre peccadille, et que Dieu vienne en aide au garçon qui s'en rendait coupable.

Les règles à l'étude étaient simples mais strictes. Il était interdit de lever le nez de son travail et interdit de parler. Elles se bornaient là, mais elles ne vous laissaient guère de marge. Dans des circonstances extrêmes, et je n'ai jamais su en quoi elles consistaient, vous pouviez lever la main et attendre qu'on vous demande de parler, mais vous aviez intérêt à être bien sûr que les circonstances soient vraiment extrêmes. Deux fois seulement, au cours des quatre années que j'ai passées à St Peter's, j'ai vu un élève lever la main à l'étude. La première fois, la scène se déroula ainsi :

Le maître. – Qu'est-ce que c'est?

L'élève. – S'il vous plaît, monsieur, pouvez-vous m'autoriser à aller aux toilettes?

Le maître. – Certainement pas. Vous auriez dû y aller avant.

L'élève. – Mais, monsieur... s'il vous plaît, monsieur... avant je n'avais pas envie... Je ne savais pas...

Le maître. – Et à qui la faute? Reprenez votre travail.

L'élève. – Mais monsieur... Oh monsieur... Je vous en prie, monsieur, laissez-moi y aller!

Le maître. – Un mot de plus, et vous aurez des ennuis.

Naturellement, le malheureux garçon souilla son pantalon, ce qui provoqua un drame en haut avec la surveillante.

La deuxième fois, je me rappelle clairement que c'était en été, le garçon qui leva la main s'appelait Braithwaite. Il me semble également me rappeler que le maître qui surveillait l'étude était notre ami le capitaine Hardcastle, mais je n'en jurerais pas. Le dialogue fut à peu près le suivant :

Le maître. – Oui, qu'est-ce que c'est?

Braithwaite. – S'il vous plaît, monsieur, une guêpe est entrée par la fenêtre et m'a piqué à la lèvre et ça enfle.

Le maître. – Une quoi?

Braithwaite. – Une guêpe, monsieur.

Le maître. – Plus fort, mon garçon, je ne vous entends pas. Une quoi est entrée par la fenêtre?

Braithwaite. – Je ne peux pas parler plus fort, monsieur, avec ma lèvre qui enfle.

Le maître. – Avec quoi, qui enfle? Vous essayez d'être drôle?

Braithwaite. – Non, monsieur, je vous assure que non, monsieur.

Le maître. – Exprimez-vous correctement, mon garçon! Qu'est-ce qui vous prend?

Braithwaite. – Je vous l'ai dit, monsieur. J'ai été piqué, monsieur. Ma lèvre enfle. Ça fait très mal.

Le maître. – Très mal? Qu'est-ce qui fait très mal?

Braithwaite. – Ma lèvre, monsieur. Elle est de plus en plus grosse.

Le maître. – Quels devoirs faites-vous ce soir?

Braithwaite. – Les verbes français, monsieur. Nous devons les écrire.

Le maître. – Vous écrivez avec votre lèvre?

Braithwaite. – Non, monsieur, mais vous comprenez...

Le maître. – Tout ce que je comprends, c'est que vous faites un bruit infernal et que vous dérangez tout le monde dans cette salle. Maintenant remettez-vous au travail.

Ils étaient vraiment durs, ces maîtres, ne vous y trompez pas, et si l'on tenait à survivre, il fallait soi aussi s'endurcir.

Mon tour vint, comme je l'ai déjà dit, au cours du deuxième trimestre et cette fois encore, c'était le capitaine Hardcastle qui nous surveillait. Il faut savoir qu'à l'étude chaque élève avait un pupitre individuel en bois. Ce pupitre comportait le classique plan incliné avec, au sommet, une étroite bande plate creusée d'une rainure pour le porte-plume, et d'un petit trou à droite réservé à l'encrier. Nos plumes avaient des becs fendus qu'il fallait tremper dans l'encrier toutes les six ou sept secondes quand on écrivait. Les crayons à bille et les feutres n'avaient pas encore été inventés et les stylos étaient interdits. Nos plumes étaient très fragiles et la plupart des élèves en gardaient une petite boîte en réserve au fond de leur poche.

Nous faisions nos devoirs. Le capitaine Hardcastle était assis sur l'estrade devant nous, caressant sa moustache orange, remuant la tête, grognant à travers ses narines. Son regard parcourait inlassablement la salle, guettant le moindre méfait. Le silence n'était troublé que par les petits grognements du capitaine Hardcastle et par le grincement assourdi des plumes courant sur le papier. De temps à autre résonnait un " ping " quand l'un d'entre nous plongeait trop brutalement sa plume dans son minuscule encrier de porcelaine blanche. Le désastre eut lieu lorsque je heurtai bêtement contre mon pupitre le bec de ma plume, qui se cassa. Je n'avais pas de plume de rechange sur moi, mais un accident de ce genre n'avait jamais été accepté comme excuse pour ne pas finir ses devoirs. Le sujet de notre rédaction était le suivant : « Histoire de la vie d'un penny ». (J'ai conservé la copie dans mes papiers.) J'avais écrit un début satisfaisant, et je continuais sur ma lancée lorsque je cassai mon bec de plume. Il y avait encore une demi-heure d'étude et je ne pouvais pas rester tout ce temps à ne rien faire. Je ne pouvais pas non plus lever la main et dire au capitaine Hardcastle que j'avais cassé ma plume. Je n'osais pas, tout simplement. Et en vérité, j'étais vraiment désireux de terminer cette rédaction. Je savais exactement ce qui allait arriver à mon penny au cours des deux pages suivantes et ne pouvais supporter l'idée de laisser inachevée ma narration.

dans le ruisseau
eau boueuse. La conduite était branchée sur coulait rapidement. J'ai été entrainé dans cette rivière et après avoir été emporté par le courant sur une distance considérable, je me suis retrouvé rejeté sur la berge. Deux garçons sont alors arrivés, le plus pettit m'a vu le prem...

Je jetai un coup d'œil vers ma droite. Le garçon assis à côté de moi s'appelait Dobson. Du même âge que moi, neuf ans et demi, il était très gentil. Encore maintenant, soixante ans après, je me rappelle que le père de Dobson était médecin et qu'il habitait, comme je l'avais appris par l'étiquette collée sur la boîte à nanan de Dobson, The Red House, Uxbridge, Middlesex. Le pupitre de Dobson touchait presque le mien. Je crus pouvoir prendre le risque. Je gardai la tête baissée tout en surveillant attentivement le capitaine Hardcastle. Lorsque je fus à peu près sûr qu'il regardait dans une autre direction, je mis une main devant ma bouche et chuchotai :

— Dobson... Dobson... tu peux me prêter une plume?

Il y eut une brusque explosion sur l'estrade. Le capitaine Hardcastle s'était levé d'un bond et pointait un doigt sur moi en vociférant :

— Vous parlez! Je vous ai vu parler! N'essayez pas de nier! Je vous ai nettement vu parler derrière votre main!

Je me pétrifiai de terreur. Tous les autres garçons s'étaient arrêtés de travailler et avaient levé la tête.

— Niez-vous que vous étiez en train de parler? hurla le capitaine.

— Non, monsieur, m-mais...

— Et niez-vous que vous avez essayé de tricher? Niez-vous que vous demandiez à Dobson de vous aider pour votre rédaction?

— N-non, monsieur. Pas du tout. Je ne trichais pas.

— Bien sûr que si! Sinon, si je peux me permettre la question, pourquoi auriez-vous parlé à Dobson? Vous ne lui demandiez pas, je suppose, des nouvelles de sa santé!

Peut-être serait-il bon que je rappelle de nouveau mon âge au lecteur. Je n'étais pas un garçon de quatorze ans plein de sang-froid. Je n'avais pas douze ni même onze ans. J'avais neuf ans et demi et à cet âge-là, on est mal équipé pour tenir tête à un adulte aux cheveux d'un orange flamboyant et au caractère violent. On ne peut guère que bredouiller.

– Je... J'ai cassé ma plume, monsieur, chuchotai-je. Je... Je demandais à Dobson s'il pouvait m'en prêter une, monsieur.

– Vous mentez! cria le capitaine Hardcastle, et une note de triomphe perçait dans sa voix. J'ai toujours su que vous étiez un menteur! Et un tricheur également!

– Je v-voulais simplement une plume, monsieur.

– A votre place, je la bouclerais! tonna la voix sur l'estrade. Vous ne faites qu'aggraver votre cas! Je vous donne une barre.

Ce mot avait une résonance funeste. Une barre! « Je vous donne une barre! » Tout autour de moi, je sentis un grand élan de sympathie de tous les autres garçons envers moi, mais personne ne bougea ou n'émit un son.

Je dois expliquer ici le système d'étoiles et de barres en usage à St Peter's. Si vous aviez exceptionnellement bien travaillé, on vous décernait un quart d'étoile, et un point rouge était inscrit au crayon à côté de votre nom sur le tableau d'affichage. Quand vous aviez eu droit à quatre quarts d'étoile, une ligne rouge reliait les quatre points, indiquant que vous aviez maintenant complété votre étoile.

Pour un travail exceptionnellement médiocre ou pour mauvaise conduite, vous aviez droit à une barre, ce qui entraînait automatiquement une raclée administrée par le principal.

eu une guerre appelée «La Grande Guerre»
tous ces instruments extrêmement compliqués que j'ai vus récemment à Aldershot avaient été utilisés

récemment nécessaire
Bon 2 3 1 4 étoile

il me semble que l'orthographe de 1827, mon jeune ami, a également beaucoup changé

Chaque maître possédait un carnet de quarts d'étoile et un carnet de barres et chaque feuillet devait être signé, rempli et détaché du carnet, exactement comme un chèque d'un chéquier. Les quarts d'étoile étaient roses, les barres d'un sinistre bleu-vert. L'élève qui recevait une étoile ou une barre empochait le feuillet jusqu'au lendemain matin après la prière, moment où le principal ordonnait à tout élève ayant reçu l'un ou l'autre de s'avancer en présence de toute l'école et de lui remettre le billet. Les barres étaient considérées comme une punition si épouvantable qu'elles n'étaient que rarement données. De façon générale, deux ou trois garçons par semaine au plus recevaient une barre.

...me I have already got one quarter-stare for arithmetic in the new form from the new master, Mr. Gopp, and no stripes. I l... ...ere i...

Le nouveau maitre, M. Gopp, dans la nouvelle classe, m'a donné un quart d'étoile en arithmétique et pas de barres. Je...

Et voilà que le capitaine Hardcastle m'en infligeait une.

– Venez ici, ordonna-t-il.

Je me levai de mon pupitre et m'approchai de l'estrade. Il avait déjà sorti son carnet de barres et remplissait un feuillet. Il écrivait à l'encre rouge et, sur la ligne où figurait le mot : Motif, il inscrivit : *A parlé à l'étude, essayé de tricher et menti.* Il signa le feuillet et le détacha du carnet. Puis, sans hâte, il remplit le talon. Brandissant le terrible feuillet bleu-vert, il l'agita dans ma direction, mais sans lever la tête. Je le lui pris des doigts et regagnai ma place. L'école tout entière me suivit des yeux.

Pendant le reste de l'étude, je restai assis à mon pupitre à ne rien faire. Privé de plume, je ne pus écrire un mot de plus sur « l'histoire de la vie d'un penny », mais on me fit terminer ma rédaction l'après-midi suivant, au lieu de me laisser participer aux jeux des autres.

Le lendemain matin, dès la prière terminée, le principal demanda la remise des étoiles et des barres. Je fus le seul à me lever. Les maîtres assistants étaient assis sur des chaises à dossier droit de part et d'autre du principal, et j'aperçus le capitaine Hardcastle, les bras croisés sur la poitrine, la tête agitée de soubresauts, qui me surveillait intensément de ses yeux bleus laiteux, arborant une expression de triomphe. Le principal prit le feuillet, lut l'inscription et déclara :

— Venez me voir dans mon bureau dès que nous aurons fini.

Cinq minutes plus tard, marchant comme sur des œufs, tremblant de la tête aux pieds, je franchis la porte matelassée et pénétrai dans le sanctuaire du principal. Je frappai à la porte de son bureau.

— Entrez!

Je tournai la poignée et avançai dans la grande salle carrée aux murs tapissés de bibliothèques, meublée de fauteuils et d'un gigantesque bureau au dessus de cuir rouge placé en diagonale dans un angle du fond. Le principal était assis derrière ce bureau, ma barre entre les doigts.

— Qu'avez-vous à dire pour votre défense? demanda-t-il, et ses dents de requin luisaient, menaçantes, entre ses lèvres.

— Je n'ai pas menti, monsieur, dis-je. Je vous le jure. Et je n'essayais pas de tricher.

– Le capitaine Hardcastle affirme le contraire, répliqua le principal. Traitez-vous le capitaine Hardcastle de menteur?

– Non, monsieur. Oh non, monsieur!

– J'éviterais de le faire, à votre place.

– J'avais cassé ma plume, monsieur, et je demandais à Dobson s'il pouvait m'en prêter une.

– Ce n'est pas ce que dit le capitaine Hardcastle. Il affirme que vous demandiez de l'aide pour votre rédaction.

– Oh non, monsieur, pas du tout. J'étais très loin du capitaine Hardcastle et je chuchotais. Je ne pense pas qu'il ait pu entendre ce que je disais, monsieur.

– Ainsi donc, vous le traitez bien de menteur.

– Oh non, monsieur! Non, monsieur! Je ne me permettrais jamais une chose pareille!

Je n'avais aucune chance de gagner contre le principal. En fait, j'aurais aimé répondre : « Oui, monsieur, si vous voulez vraiment le savoir, monsieur, je traite le capitaine Hardcastle de menteur, parce que c'est un menteur! », mais c'était hors de question. Il me restait, cependant, un dernier atout à jouer, ou du moins je le croyais.

– Vous pourriez demander à Dobson, monsieur, chuchotai-je.

– Demander à Dobson! s'exclama-t-il. Pourquoi irais-je demander à Dobson? Le capitaine Hardcastle est un officier et un gentleman. Il m'a dit ce qui s'était passé. Je ne vois vraiment pas pourquoi j'irais demander à un petit imbécile si le capitaine Hardcastle dit la vérité.

Je demeurai silencieux.

– Pour avoir parlé à l'étude, poursuivit le principal,

pour avoir essayé de tricher et avoir menti, je vais vous donner six coups de canne.

Il se leva de son bureau et se dirigea vers le buffet d'angle de l'autre côté de la pièce. Levant le bras, il prit sur le sommet trois cannes jaunes d'une extrême minceur, chacune se terminant par une poignée recourbée. Pendant quelques secondes, il les garda entre les mains, les examinant avec soin, puis il en choisit une et reposa les deux autres sur le buffet.

– Penchez-vous en avant.

La canne de nouveau.

Cette canne me terrifiait. Elle aurait terrifié n'importe quel petit garçon au monde. Ce n'était pas seulement un instrument pour vous battre. C'était une arme destinée à vous blesser. Elle lacérait la peau. Elle provoquait des zébrures boursouflées bleues et violettes qui mettaient trois semaines à disparaître, et, durant ces trois semaines, vous sentiez constamment votre cœur battre tout le long de ces blessures.

Je fis une dernière tentative, d'une voix légèrement hystérique.

– Je ne suis pas coupable, monsieur! Je vous jure que je dis la vérité!

– Taisez-vous et penchez-vous! Par ici! Et touchez vos doigts de pied.

Très lentement, je me pliai en deux. Puis je fermai les yeux et me raidis, attendant le premier coup. Crac! On aurait dit un coup de fusil! Quand on reçoit un violent coup de canne sur les fesses, il faut environ quatre secondes pour que l'on ressente la douleur. Aussi, l'expert dans ce genre de châtiment attend toujours entre chaque coup pour permettre à la souffrance d'atteindre sa pleine intensité. Ainsi donc pendant un bref instant après le premier crac, je ne ressentis quasiment rien. Puis brusquement la terrifiante brûlure au fer rouge s'irradia dans mes fesses et au moment où elle atteignait son degré le plus crucifiant, le deuxième coup s'abattit. Je serrais mes chevilles de toutes mes forces et me mordis la lèvre inférieure. J'étais farouchement décidé à ne pas émettre un son, ce qui n'aurait fait que donner plus grande satisfaction à mon bourreau.

Crac!... une pause de cinq secondes.

Crac!... une autre pause.

Crac!... encore une pause.

Je comptais les coups et lorsque le sixième atterrit, je compris que j'allais survivre en silence.

– Ça ira comme ça, dit la voix derrière moi.

Je me redressai et empoignai mon derrière à deux mains, aussi fort que je pus. C'est toujours la réaction instinctive et automatique. La douleur est si atroce qu'on essaye de l'empoigner pour l'arracher, et plus on serre, plus on a l'impression d'être soulagé.

Sans regarder le principal, claudiquant en travers de l'épais tapis rouge, je me dirigeai vers la porte. La porte était fermée et personne n'allait me l'ouvrir, aussi pendant deux secondes je dus lâcher d'une main mes fesses pour tourner la poignée. Une fois sorti de la pièce, je me mis à sautiller sur place dans l'entrée des appartements privés du principal.

Juste en face de son cabinet était située la salle de

réunion des maîtres assistants. Ils s'y trouvaient tous à ce moment-là, attendant de se disperser en direction de leurs classes respectives, mais je ne pus m'empêcher de remarquer, bien que souffrant le martyre, que cette porte était ouverte. Pourquoi était-elle ouverte? Voulaient-ils tous entendre distinctement le bruit des coups de canne? Oui, bien sûr. Et j'étais persuadé que c'était le capitaine Hardcastle qui l'avait ouverte. Je l'imaginais, debout au milieu de ses collègues, grognant de satisfaction à chaque coup de canne.

Les petits garçons peuvent se montrer très solidaires envers un des leurs qui a eu des ennuis, tout particulièrement lorsqu'ils estiment qu'il a été victime d'une injustice. Lorsque je regagnai la salle de classe, je fus environné de voix et de visages compatissants, mais un geste en particulier est resté gravé dans ma mémoire. Un garçon de mon âge, un certain Highton, était tellement révolté par toute cette histoire qu'il me déclara avant le déjeuner ce jour-là :

– Tu n'as pas de père, mais moi si. Je vais écrire à mon père pour lui dire ce qui s'est passé et il fera quelque chose.

– Il ne peut rien faire, répondis-je.

– Mais si bien sûr, dit Highton. Et il le fera. Mon père ne les laissera pas s'en tirer comme ça!

– Où est-il en ce moment?

– Il est en Grèce, répondit Highton. A Athènes. Mais ça ne change rien.

Et le petit Highton entreprit sur-le-champ d'écrire à ce père qu'il admirait tant, mais bien entendu sans résultat. C'était néanmoins une initiative touchante et généreuse d'un petit garçon envers un autre, et je ne l'ai jamais oubliée.

Le petit Ellis
et son furoncle

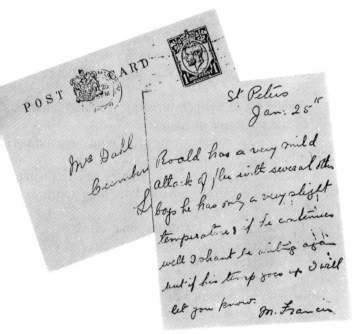

Roald a attrappé, ainsi que plusieurs autres garçons, une grippe sans gravité. Il n'a qu'une légère fièvre et s'il continue à aller bien, je ne vous récrirai pas ; mais si sa température monte, je vous tiendrai au courant.

M. Francis

Durant mon troisième trimestre à Saint Peter's, j'attrapai la grippe et fus envoyé à l'infirmerie, où la redoutée surveillante exerçait une autorité suprême. Dans le lit voisin du mien se trouvait un petit garçon de sept ans, Ellis, que j'aimais beaucoup. Ellis se trouvait là parce qu'il était affligé d'un énorme furoncle enflammé à l'intérieur de la cuisse. Je l'avais vu. Il était de la taille d'une prune et à peu près de la même couleur.

Le docteur arriva un matin pour nous examiner, suivi de la surveillante. Sa monumentale poitrine se gonflait sous sa blouse blanche amidonnée et, du coup, elle me rappela un tableau que j'avais vu un jour, représentant un quatre-mâts goélette fuyant sous le vent avec toute sa toile.

– Quelle est sa température aujourd'hui? demandat-il, en me montrant du doigt.

– Un peu plus de trente-sept cinq, répondit la surveillante.

– Il est ici depuis assez longtemps, dit le docteur. Renvoyez-le en classe demain. Puis il se tourna vers Ellis.

– Enlève ton pantalon de pyjama, dit-il.

C'était un tout petit bonhomme chauve avec des lunettes cerclées d'acier. Il m'inspirait une profonde terreur.

Ellis enleva le pantalon de son pyjama. Le docteur se pencha pour examiner le furoncle.

– Hmmm, fit-il. Pas bien beau, n'est-ce pas? Il va falloir qu'on s'occupe de ça, pas vrai, Ellis?

– Qu'est-ce que vous allez faire? demanda Ellis, tout tremblant.

– Ne t'inquiète pas, dit le docteur. Reste gentiment couché et ne fais pas attention.

Le petit Ellis se recoucha, la tête sur l'oreiller. Le docteur avait mis son sac par terre à la tête du lit et il s'agenouilla à côté pour l'ouvrir. Ellis, même en redressant la tête, ne pouvait voir à quel manège se livrait le docteur, caché par l'extrémité du lit. Mais à moi rien n'échappait. Je le vis sortir une espèce de scalpel avec une longue poignée d'acier et une petite lame pointue. Accroupi au pied du lit d'Ellis, il tenait l'instrument de la main droite.

— Donnez-moi une grande serviette, dit-il à la surveillante.

La surveillante lui tendit une serviette.

Toujours accroupi au pied du lit et invisible pour Ellis, le docteur déplia la serviette et l'étala sur la paume de sa main gauche. Dans la droite, il tenait le scalpel.

Ellis n'en menait pas large. Soupçonneux, il essaya de se relever sur les coudes pour mieux voir.

— Reste couché, Ellis, dit le docteur, et au moment même où il prononçait ses mots, il bondit du bout du lit comme un diable hors de sa boîte et jeta la serviette grande ouverte droit sur le visage d'Ellis. Presque à la même seconde, il détendit le bras droit et plongea la pointe de son scalpel au cœur même de cet énorme furoncle. Il imprima à la lame une petite torsion et la retira avant même que le malheureux petit garçon ait pu dégager sa tête de la serviette.

Ellis poussa un hurlement. Il n'avait pas vu le scalpel entrer et il ne le vit pas ressortir, mais il le sentit, et il hurla comme un porc qu'on égorge. Je le vois encore se débattant pour se débarrasser de la serviette ; lorsqu'il en émergea, les larmes ruisselaient sur ses joues et ses grands yeux bruns fixés sur le docteur trahissaient la plus violente indignation.

— Ne faites donc pas tant d'histoires pour rien, dit la surveillante.

Appliquez un pansement, avec une bonne couche de pommade, mademoiselle, lui dit le docteur.

Et il sortit de la salle.

Je ne pouvais pas vraiment reprocher au docteur son attitude. Je trouvais qu'il s'était conduit assez habilement. On attendait de nous que nous supportions stoïquement la douleur. Les anesthésiques et les piqûres calmantes n'étaient guère utilisés en ce temps-là. Les dentistes, en particulier, ne s'en servaient jamais. Mais je doute fort que vous soyez particulièrement heureux de nos jours, si un médecin vous jetait une serviette sur la tête et se ruait sur vous avec un couteau.

la verrue à mon pousse est très bien partie, mais celle de mon genou ne s'est même pas encore transformée en ampoule. Tu voulais que je prenne des leçons de chant, n'est-ce pas ?

Le tabac de chèvre

J'avais environ neuf ans lorsque ma demi-sœur, la grande, se fiança. L'élu de son cœur était un jeune docteur anglais et, cet été-là, il nous accompagna en Norvège. Un climat romanesque les auréolait comme une poussière d'étoiles, et les amoureux, pour une raison qui nous échappait à nous autres enfants, ne semblaient pas particulièrement désireux de nous voir les suivre partout. Ils partaient seuls en bateau. Ils escaladaient seuls les rochers. Ils prenaient même leur petit déjeuner tout seuls. Nous en étions ulcérés. En tant que famille nous avions toujours tout fait ensemble, et nous ne voyions pas pourquoi la grande sœur avait brusquement décidé d'agir différemment sous prétexte qu'elle était fiancée. Nous étions enclins à rendre responsable de ce changement d'attitude son soupirant venu troubler le calme de notre vie familiale et il était fatal qu'il eût à en souffrir tôt ou tard.

Le fiancé était un grand fumeur de pipe. Il gardait en permanence entre les dents cette pipe nauséabonde, sauf lorsqu'il mangeait ou nageait. Nous commençions même à nous demander s'il l'écartait de sa bouche lorsqu'il embrassait sa bien-aimée. Il serrait le tuyau de sa pipe de la façon la plus virile entre ses robustes dents blanches et ne l'enlevait même pas pour vous parler, ce qui nous irritait au plus haut point. Il aurait été à coup sûr plus poli de l'ôter de sa bouche et de parler correctement.

le viril amoureux et la grande demi-sœur (au fond)

Nous partîmes tous un matin dans notre petit bateau à moteur pour une île sur laquelle nous ne nous étions jamais aventurés et pour une fois la grande sœur et son viril amoureux décidèrent de nous accompagner. Nous avions choisi cette île en particulier parce que nous avions repéré des chèvres dessus. Elles gambadaient et grimpaient sur les rochers et nous pensions que ce serait amusant d'aller leur rendre visite. Mais une fois arrivés, nous nous aperçûmes que les chèvres étaient complètement sauvages et qu'il n'était pas question de les approcher. Renonçant donc à les amadouer, nous nous contentâmes de nous asseoir en maillot de bain sur les rochers lisses pour savourer le soleil.

Le viril amoureux bourrait sa pipe. Il se trouve que j'étais en train de l'observer pendant qu'il tassait avec soin dans le fourreau les brins de tabac qu'il prélevait dans une blague à tabac en toile huilée jaune. Il venait de terminer et s'apprêtait à allumer sa pipe lorsque la grande sœur l'appela pour qu'il vienne nager avec elle. Il déposa donc sa pipe et partit la rejoindre.

Je regardai la pipe posée sur un rocher. A quarante centimètres environ, je vis un petit tas de crottes de chèvres rondes et désséchées, comme des baies brun pâle, et une intéressante idée germa alors dans mon esprit. Je m'emparai de la pipe et en fis tomber tout le tabac. Puis je ramassai quelques crottes de chèvre et les émiettai doucement entre mes doigts. Avec mille précautions, je versai ces débris fibreux dans le fourneau de la pipe, les tassant ensuite avec le pouce, comme l'avait fait le viril amoureux. Je déposai ensuite par-dessus une mince couche de vrai tabac. La famille tout entière m'observait. Personne ne dit mot, mais je sentis une onde d'approbation se propager tout autour de moi. Je replaçai la pipe sur le rocher et nous attendîmes le retour de la victime. Nous étions tous de connivence, ma mère comprise. J'avais fait d'eux des complices simplement en agissant ouvertement. Il s'agissait d'une conspiration familiale, silencieuse et non sans danger.

Or, voilà que revenait le viril amoureux, ruisselant d'eau de mer, la poitrine bombée, vigoureux, sain et bronzé.

— Merveilleux! annonça-t-il au monde entier. Cette eau est extraordinaire! C'est fantastique!

Il se frotta vigoureusement avec une serviette, faisant saillir ses biceps, puis il s'assit sur un rocher et tendit la main vers sa pipe.

Neuf paires d'yeux attentifs étaient fixées sur lui mais personne ne vendit la mèche en pouffant. Nous frémissions d'excitation anticipée et le suspense était d'autant plus grand que nul d'entre nous ne savait ce qui allait vraiment se passer.

Le viril amoureux mit sa pipe entre ses robustes dents blanches et craqua une allumette. Tenant la flamme au-dessus du fourneau, il aspira. Le tabac s'enflamma et se mit à rougoyer, et la tête du soupirant fut enveloppé d'un nuage de fumée bleue.

– Ah, fit-il en soufflant deux jets de fumée par les narines, rien de tel qu'une bonne pipe après un bain revigorant!

Nous attendions toujours. L'attente était presque insupportable. Elle n'était même pas supportable du tout pour la petite sœur de sept ans.

– Quel genre de tabac tu mets là-dedans? demanda-t-elle avec une superbe innocence.

– Du Navy Cut, répondit le viril amoureux. Du Navy Cut de Players. C'est le meilleur. Ces Norvégiens fument toutes sortes de tabacs puants, mais je n'y toucherais pour rien au monde.

– Je ne savais pas qu'ils avaient des goûts différents, enchaîna la petite sœur.

– Si, bien sûr, commenta le viril amoureux. Tous sont différents pour un fumeur de pipe chevronné. Le Navy Cut est naturel, et n'a subi aucune adultération. Un tabac digne d'un homme.

L'homme en question semblait se donner un mal de chien pour employer des mots compliqués, comme : chevronné, ou adultération, dont le sens nous échappait totalement.

La grande sœur, rafraîchie par son bain et vêtue maintenant d'un peignoir en tissu éponge, vint s'asseoir tout contre son viril amoureux. Ils commencèrent tous les deux à échanger ces regards idiots et ces sourires niais que nous trouvions suprêmement ridicules. Ils étaient bien trop absorbés l'un par l'autre pour remarquer la terrible tension qui s'était emparée de notre groupe. Ils ne remarquèrent même pas que tous les visages étaient tournés vers eux. Ils s'étaient de nouveau retirés dans leur monde idyllique où les petits enfants n'existaient pas. La mer était calme, le soleil brillait, c'était une journée magnifique.

Brusquement, le viril amoureux poussa un cri perçant et son corps tout entier fit un bon d'un mètre en l'air. Sa pipe lui échappa des lèvres et rebondit bruyamment sur les rochers, et le deuxième cri qu'il poussa était si aigu et si assourdissant que toutes les mouettes de l'île, alarmées, s'envolèrent. Les traits déformés comme ceux d'un être soumis à la torture, il était devenu tout blanc. Il se mit à crachouiller, à suffoquer, à saliver, à expectorer et à se conduire de façon générale comme un homme atteint d'une grave lésion interne. Il ne pouvait articuler un mot.

Nous le regardions fixement, captivés.

La grande sœur, qui devait se croire sur le point de perdre à jamais son futur mari, le palpait et lui tapait dans le dos en criant :

– Chéri! Chéri! Que vous arrive-t-il? Où avez-vous mal? Allez chercher le bateau! Mettez le moteur en route! Il faut l'emmener immédiatement à l'hôpital!

Elle semblait avoir oublié qu'il n'y avait pas le moindre hôpital à soixante-quinze kilomètres à la ronde.

– J'ai été empoisonné! bredouilla le viril amoureux. Ça me prend dans les poumons! C'est dans ma poitrine! J'ai la poitrine en feu! Mon estomac me brûle!

– Aidez-moi à le porter dans le bateau! Vite! cria la grande sœur en l'empoignant sous les aisselles. Ne restez pas assis là à regarder! Venez, aidez-moi!

– Non, non, non! glapit l'amoureux, qui avait beaucoup perdu de sa virilité. Laissez-moi tranquille! J'ai besoin d'air! Laissez-moi respirer!

Il se recoucha en arrière, aspirant à pleins poumons de grandes goulées de ce merveilleux air norvégien au bord de l'océan, et au bout d'une minute ou deux, il se redressa sur son séant, à mi-chemin de la guérison.

– Mais qu'est-ce qui a bien pu vous arriver? demanda la grande sœur en serrant tendrement ses mains dans les siennes.

– Je n'en ai aucune idée, murmura-t-il. Vraiment aucune idée.

Il avait encore le visage crispé et blanc comme neige et ses mains tremblaient.

— Il doit y avoir une raison, ajouta-t-il. Il y a forcément une raison.

— Je la connais, la raison! hurla la petite sœur de sept ans, riant à gorge déployée. Je sais ce que c'était!

— Et c'était quoi? demanda sèchement la grande sœur. Qu'est-ce que vous avez manigancé? Dis-le-moi tout de suite!

— C'est sa pipe, cria la petite sœur, toujours convulsée de joie.

— Qu'est-ce qu'elle a, ma pipe? demanda le viril amoureux.

— Tu as fumé du tabac de chèvre! cria la petite sœur.

Il fallut quelques instants aux deux amoureux pour saisir vraiment la pleine signification de ces mots, mais lorsqu'ils eurent compris, une terrible colère empourpra le visage du viril amoureux qui lentement se redressa, l'air menaçant. Alors, nous nous levâmes tous d'un bond et, nous sauvant à toutes jambes, plongeâmes des rochers dans l'eau profonde.

THE PRIORY HOUSE,
REPTON,
DERBY.

Dear Mama

Thanks awfully for the parcel and your letters. We had a great supper last night. We fried the sausages and poured hieny beans over them. then we had force & cream. Those biscuits are awfully good.

Last night we had a heavy snowfall, and there is about ... ol snow on the ground. Tobogganing

Macdonald & I ...

Love fro...

Ronald

Photographie à Repton.

A bord du bateau
pour Terre-Neuve. 1933.

Repton et Shell
1929-1936
(de treize à vingt ans)

Chère maman

*Merci beaucoup pour le colis et pour tes lettres. Nous avons eu
un souper formidable hier soir. Nous avons fait frire les saucisses
et versé dessus les haricots en bouillie, ensuite nous avons eu du
pudding et de la crème. Les biscuits sont vraiment bons. Hier
soir il a beaucoup neigé et il y a...*

*Alfhild, moi, Asta, Else
et les chiens. Tenby.*

Avant la chasse, Repton 1930.

En tenue pour le collège

Lorsque j'eus douze ans, ma mère m'annonça :

– Je t'ai inscrit à Marlborough et à Repton. Lequel préfères-tu?

Tous deux étaient de célèbres collèges privés, mais je n'en savais pas davantage à leur sujet.

– Repton, déclarai-je. J'irai à Repton.

C'était un mot plus facile à prononcer que Marlborough.

– Très bien, dit ma mère. Tu iras donc à Repton.

Nous vivions alors dans le Kent, dans une petite ville du nom de Bexley. Repton se trouvait au cœur des Midlands, près de Derby, deux cent dix kilomètres plus au nord. C'était sans importance. Les trains ne manquaient pas. Personne à cette époque n'était conduit à l'école en voiture. On nous faisait prendre le train.

J'avais exactement treize ans en septembre 1929 quand sonna l'heure de mon départ pour Repton. Le jour fatidique, je dus d'abord m'habiller pour l'occasion. La semaine précédente, je m'étais rendu à Londres avec ma mère afin d'acheter l'uniforme du collège et je me rappelle ma consternation devant le déguisement dont je devais m'affubler.

– Mais je ne peux pas sortir avec ça sur le dos! m'écriai-je. Personne ne s'habille comme ça!

– Vous êtes sûr de ne pas vous être trompé? demanda ma mère au gérant de la boutique.

– S'il va à Repton, madame, c'est l'uniforme réglementaire, répondit le gérant d'une voix ferme.

Et maintenant cette tenue extravagante était étalée sur mon lit, prête à être endossée.

– Allons, dit ma mère, Dépêche-toi, sinon tu vas rater le train.

– Je vais avoir l'air d'un parfait idiot, répliquai-je.

Ma mère sortit de la chambre, me laissant me préparer. La mort dans l'âme, je commençai à m'habiller. Tout d'abord, il y avait une chemise blanche avec un col blanc amovible. Ce col ne ressemblait à aucun de ceux que j'avais pu voir. Il était rigide comme un morceau de celluloïd. Sur le devant, les pointes étaient rabattues vers le haut comme des ailes, si hautes que leurs pointes, je le constatai par la suite, me piquaient le menton. C'était ce qu'on appelait un col cassé. Pour fixer le col cassé à la chemise, il vous fallait deux boutons, un devant et un derrière. Jamais encore je ne m'étais livré à ce genre de gymnastique. Je dois faire ça correctement, me dis-je pour m'encourager. Je commençai donc par glisser le bouton arrière dans le pied de col de la chemise. Puis j'essayai d'y ajuster l'arrière du col mais il était si raide que je n'arrivais pas à insérer le bouton dans la fente. Je décidai de le ramollir avec de la salive. Glissant le bord du col dans ma bouche, je le suçai pour éliminer l'amidon. Le résultat fut satisfaisant. Le bouton passa à travers la fente et l'arrière du col se trouva en place.

J'insérai le bouton de devant dans l'une des boutonnières avant de la chemise que je passai par-dessus ma tête. Avec l'aide d'une glace, j'entrepris alors de glisser la tête du bouton de devant dans la première des deux boutonnières à l'avant du col. La fente était si étroite, si rigide qu'il n'était pas question de faire passer quoi que ce soit au travers. J'enlevai ma chemise, mis le devant du col dans ma bouche et mâchonnai les deux fentes jusqu'à ce qu'elles se fussent ramollies. L'amidon n'avait aucun goût. Je remis ma chemise et réussis enfin à passer le bouton de devant à travers les fentes du col.

Autour du col, mais sous les ailes triangulaires, je nouai une cravate noire, d'un nœud classique.

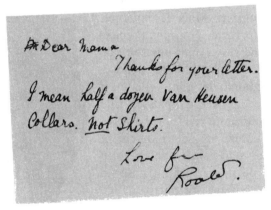

Chere maman,
  Merci pour ta lettre. Je veux dire une demi douzaine de cols Van Heusen pas de chemises.
Je t'embrasse
Roald

Vinrent ensuite le pantalon et les bretelles. Le pantalon était noir avec de fines rayures grises verticales. Je boutonnai les bretelles sur le pantalon, six boutons en tout, puis j'enfilai le pantalon et ajustai les bretelles à la bonne longueur en faisant coulisser les deux passants métalliques. Je mis ensuite des souliers flambant neufs que je laçai.

Le gilet maintenant. Il était noir également et comportait douze boutons sur le devant et deux petites poches de chaque côté, l'une au-dessus de l'autre. Je l'endossai et le boutonnai, commençant par le haut, fort soulagé de ne pas avoir à mâchonner chacune des boutonnières pour pouvoir y passer les boutons.

Tout cela était déjà assez éprouvant pour un garçon qui n'avait jamais rien porté de plus compliqué qu'une culotte courte et un blazer. Mais le bouquet, c'était la veste. Non pas précisément une veste, mais une sorte de jaquette d'un ridicule achevé. Tout comme le gilet, elle était noire et de serge épaisse. Elle était coupée de telle sorte que les deux côtés ne se rejoignaient qu'en un seul point, à peu près au milieu du gilet, où était posé un unique bouton. A partir de ce bouton, les pans s'écartaient en s'incurvant derrière les jambes où ils se rejoignaient à hauteur des genoux, formant une « queue de pie ». Ces basques étaient sépa-rées par une fente et, à chaque pas, elles voletaient contre vos jambes. J'endossai cette jaquette et la boutonnai. Me faisant l'effet d'un apprenti chez un entrepreneur des pompes funèbres, je descendis furtivement au rez-de-chaussée.

A ma vue mes sœurs se mirent à glapir de joie.

– Il ne peut pas sortir comme ça! hurlèrent-elles. La police va l'arrêter!

– Mets ton chapeau, dit ma mère en me tendant un canotier à larges bords, orné d'un ruban bleu et noir.

Je le posai sur ma tête, faisant de mon mieux pour prendre l'air digne. Mes sœurs étaient convulsées de rire.

Ma mère m'emmena de la maison avant que je ne perde tout à fait mon sang-froid et ensemble nous traversâmes le village pour gagner la gare de Bexley. Ma mère allait m'accompagner jusqu'à Londres et me mettre dans le train pour Derby, mais on l'avait prévenue qu'elle ne devait en aucun cas aller plus loin. Je n'avais qu'une petite valise à porter. Ma malle avait déjà été envoyée, munie de l'étiquette « Bagages non accompagnés. »

– Personne ne te prête la moindre attention, me dit ma mère tandis que nous descendions la grand-rue de Bexley.

Et bizarrement, c'était vrai.

– J'ai en tout cas appris une chose sur l'Angleterre, poursuivit ma mère. C'est un pays où les hommes

the hat-band being something like this: ▭, the white stripes are really blue, and the bit filled in is black.

Le ruban du chapeau étant dans ce goût là ! Les rayures blanches sont bleues en réalité et la partie hachurée est noire.

adorent porter des uniformes et des vêtements excentriques. Il y a deux cents ans, ils s'habillaient de façon encore plus étrange que maintenant. Estime-toi heureux de ne pas avoir à porter une perruque sur la tête et des flots de rubans sur les manches.

— Je me sens quand même grotesque, dis-je.

— Tous ceux qui te regardent, insista ma mère, savent que tu pars dans un collège privé. Tous les collèges privés anglais ont leur propres uniformes, aussi différents qu'extravagants. Les gens penseront que tu as bien de la chance d'aller étudier dans un de ces endroits célèbres.

Nous prîmes le train de Bexley à Charing Cross et de là, gagnâmes en taxi la gare de Euston. A Euston, je montai à bord du train pour Derby avec une foule d'autres garçons, qui tous arboraient la même tenue ridicule que moi. Et nous partîmes.

Boazers

A Repton, on n'appelait jamais les préfets des préfets. On les appelait des « boazers » et ils avaient droit de vie et de mort sur nous, les plus jeunes. Ils pouvaient nous convoquer en pyjama le soir et nous rosser, simplement pour avoir laissé une chaussette par terre dans le vestiaire après un match de foot au lieu de l'accrocher à une patère. Un boazer pouvait vous étriller pour mille autres petits méfaits sans importance : pour avoir brûlé son toast à l'heure du thé, pour avoir mal essuyé la poussière dans sa chambre, pour n'avoir pas réussi à allumer du feu dans sa cheminée même si vous aviez dépensé la moitié de votre argent de poche pour acheter des allume-feu, pour être en retard à l'appel, pour avoir parlé à l'étude du soir, pour avoir oublié de mettre vos chaussons d'intérieur à 6 heures. La liste était illimitée.

— Quatre avec la robe de chambre ou trois sans? vous demandait le boazer au vestiaire, tard le soir.

Les autres dans le dortoir vous avaient appris comment répondre à cette question.

– Quatre avec, marmonniez-vous, tremblant.

Ce boazer était célèbre pour la rapidité de ses coups. La plupart d'entre eux observaient une pause entre chaque coup pour prolonger l'opération, mais Williamson, le grand footballeur, le joueur de cricket, l'athlète, administrait toujours ses coups en une série de mouvements rapides, sans aucune interruption. Quatre coups vous cinglaient les fesses à une telle vitesse que toute l'opération était terminée en quatre secondes.

Un rituel se déroulait ensuite au dortoir après chaque raclée. La victime devait se planter au milieu de la pièce et baisser son pyjama afin que les dégâts pussent être examinés. Cinq ou six experts se groupaient autour de vous et exprimaient leur opinion dans un langage hautement professionnel.

– Quel boulot fantastique!

– Il a placé chaque coup exactement au même endroit!

– Mince! Personne ne pourrait se douter que tu as écopé plus d'un coup, sauf que tu es vraiment marqué!

– Ce Williamson, quand même, il a un œil terrible!

– Évidemment, qu'il a un œil terible! Pourquoi crois-tu qu'il soit champion de cricket?

– Et pas une goutte de sang, hein? Un de plus, et il t'aurait fait saigner!

– A travers une robe de chambre, en plus! C'est extraordinaire, non?

– La plupart des boazers n'arriveraient même pas à ce résultat sans robe de chambre!

– Tu dois avoir une peau particulièrement fine! Même Williamson n'aurait pas pu faire ça à une peau ordinaire!

– Il s'est servi de la longue ou de la courte?

– Attends! Ne remets pas ton pantalon! Il faut que je revoie ça encore une fois!

Et je restais alors planté là, éberlué par la froideur de cet examen presque clinique. Un soir, je me trouvais encore au milieu du dortoir, mon pantalon de pyjama rabattu à hauteur des genoux lorsque Williamson entra.

– Qu'est-ce que tu fabriques, bon sang? demanda-t-il, sachant pertinemment ce qui se passait.

– R-rien, bredouillai-je. R-rien du tout.

– Remonte ton pyjama et mets-toi au lit immédiatement, ordonna-t-il, mais comme il se dirigeait vers la porte, je remarquai qu'il tournait la tête de façon presque imperceptible pour jeter un coup d'œil à mon derrière nu et admirer son œuvre. Et je fus certain de déceler un petit sourire de satisfaction aux coins de ses lèvres.

Le principal

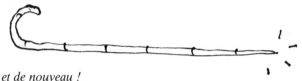

et de nouveau !

Le principal de Repton me fit l'effet d'un petit bonhomme quelconque aux jambes torses, avec un gros crâne chauve et de l'énergie à revendre, mais peu sympathique. Remarquez, je n'ai jamais eu l'occasion de bien le connaître, car durant tous ces mois et ces années que j'ai passés au collège, je doute qu'il m'ait adressé plus de six fois la parole. Peut-être avais-je donc tort de porter ce genre de jugement sur lui.

Le plus intéressant en ce qui concerne ce principal, c'est qu'il est devenu célèbre par la suite. A la fin de ma troisième année là-bas, il fut soudain nommé évêque de Chester et partit s'installer dans un palais sur les rives de la Dee. Je me rappelle m'être demandé comment diable un simple maître d'école pouvait d'un seul coup devenir évêque, mais d'autres mystères plus grands encore allaient survenir.

De Chester, il fut rapidement promu au rang d'évêque de Londres, et de là, au bout de quelques années, il grimpa de nouveau l'échelle de la hiérarchie pour parvenir au sommet et devenir archevêque de Canterbury! Et peu après, ce fut à lui qu'échut l'honneur de couronner notre reine actuelle à l'abbaye de Westminster, sous les yeux de la moitié de la population mondiale massée devant les écrans de télévision. Tiens, tiens! Et c'était l'homme qui administrait les plus féroces raclées aux petits garçons dont il avait la charge!

Vous devez maintenant, j'en suis sûr, vous demander pourquoi j'insiste tellement sur les châtiments corporels à l'école. La réponse est simple : je ne peux pas m'en empêcher. Durant toutes mes études, j'ai été horrifié par ce privilège accordé aux maîtres et aux grands élèves d'infliger des blessures, parfois très graves, à de jeunes enfants. Je ne pouvais pas m'y habituer. Je n'ai jamais pu. Il serait, bien entendu, injuste de prétendre que tous les maîtres à l'époque passaient leur temps à rouer de coups tous les petits garçons. Ce n'était pas le cas. Quelques-uns seulement, mais c'était bien suffisant pour laisser chez moi un sentiment d'horreur qui dure encore. Une autre impression purement physique subsiste encore chez moi. Même maintenant, lorsque je dois rester assis un peu longtemps sur un banc dur ou une chaise inconfortable, je commence à sentir mon cœur qui bat le long de ces vieilles cicatrices que la canne a imprimées sur mon derrière, il y a bien cinquante-cinq ans de cela.

Il n'y a rien de mal à cingler de quelques coups rapides les fesses d'un petit garçon turbulent. Cela lui fait sans doute le plus grand bien. Mais le principal dont nous parlons ne plaisantait pas quand il sortait sa canne pour administrer une raclée. Il ne m'a jamais battu, Dieu soit loué, mais mon meilleur ami à Repton, un garçon du nom de Michael, m'a fait une description saisissante de l'une de ces cérémonies. Michael reçut l'ordre de baisser son pantalon et de s'agenouiller sur le divan du principal, le buste courbé dans le vide au bout du divan. Le grand homme lui administra alors un coup terrifiant. Ensuite, il y eut une pause. Le principal posa la canne et entreprit de bourrer sa pipe de tabac. Il commença également à sermonner le jeune garçon agenouillé, le mettant en garde contre le péché et la mauvaise conduite. L'instant d'après, il ramassa la canne et un deuxième coup violent s'abattit sur les fesses tremblantes. Le bourrage de pipe et le sermon reprirent alors pendant encore trente secondes. Puis vint le troisième coup de canne. L'instrument de torture fut alors une fois de plus déposé sur la table et le principal sortit une boîte d'allumettes. Il en craqua une et approcha la flamme du fourneau de sa pipe. La pipe ne s'alluma pas correctement. Un quatrième coup fut administré, tandis que le sermon continuait. Ce processus lent et terrifiant se poursuivit jusqu'à ce que dix coups se soient sauvagement abattus, et pendant tout ce temps-là, tout en allumant sa pipe, en craquant des allumettes, le principal poursuivit sans jamais s'arrêter son sermon sur le mal, les mauvaises actions, le péché, même pendant qu'il frappait. A la fin, le principal sortit une cuvette, une éponge et une petite serviette propre et ordonna à sa victime de laver le sang avant de se reculotter.

Vous étonnerez-vous alors que la conduite de cet homme m'ait désarçonné? C'était à l'époque un clergyman ordinaire en même temps que principal, et, assis dans la pénombre de la chapelle du collège, je l'écoutais parler dans son prêche de l'Agneau de Dieu, de la Miséricorde, de la Clémence et ainsi de suite, et mon jeune esprit sombrait dans une totale confusion. Je savais parfaitement que la veille même, ce prédicateur n'avait fait montre ni de clémence ni de miséricorde en frappant un petit garçon qui avait enfreint le règlement.

Alors quelle explication trouver? me demandais-je. Prêchaient-ils une doctrine pour en pratiquer une autre, ces hommes de Dieu?

Si quelqu'un m'avait dit en ce temps-là que ce prêtre fouetteur deviendrait un jour archevêque de Canterbury, je ne l'aurais pas cru un instant.

Ce furent ces expériences, je pense, qui firent naître en moi mes premiers doutes sur la religion et même sur Dieu. Si cette personne, ne cessais-je de me répéter, était l'un des représentants élus de Dieu sur terre, alors il y avait vraiment quelque chose qui clochait dans tout le système.

Chocolat

De temps à autre, chacun d'entre nous se voyait attribuer une boîte en simple carton gris, et c'était, figurez-vous, un cadeau de la grande chocolaterie Cadbury. La boîte contenait douze barres de chocolat, toutes de tailles différentes et fourrées différemment, portant chacune un numéro, de un à douze, gravé dans le chocolat sur la surface postérieure. Onze des barres étaient de nouvelles inventions de la fabrique. La douzième était la barre « de contrôle » que nous connaissions bien, en général un Cadbury à la crème de café. Dans la boîte se trouvait également une feuille de papier, comportant des numéros de un à douze ainsi que deux colonnes, l'une où l'on notait chaque barre de un à dix, l'autre réservée aux commentaires.

Tout ce que l'on nous demandait en échange de ce merveilleux cadeau, c'était de goûter chaque barre avec soin, de lui donner une note et d'écrire un commentaire intelligent indiquant pourquoi nous l'aimions ou ne l'aimions pas. C'était une habile opération : Cadbury se servait des plus grands experts en chocolat du monde pour tester ses nouvelles inventions. Nous étions d'un âge raisonnable, entre treize et dix-huit ans, et possédions une connaissance approfondie de tous les chocolats possibles et imaginables, depuis les paillettes au lait jusqu'aux fourrés au citron. De toute évidence, nos opinions sur toutes les nouveautés dans ce domaine seraient de la plus grande valeur. Nous nous lançâmes tous dans ce jeu avec le plus vif enthousiasme. Assis dans nos salles d'étude, nous grignotions chaque barre en prenant des airs de connaisseur, lui donnant une note accompagnée de commentaires. « Trop subtil pour un palais ordinaire », je me souviens avoir écrit un jour.

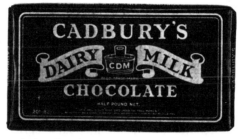

Pour moi, le plus important, c'était que je commençais à me rendre compte que les plus grandes fabriques de chocolat possédaient réellement des « laboratoires de recherche » et qu'elles prenaient leurs inventions très au sérieux. J'imaginais une longue pièce blanche, avec des chaudrons pleins de chocolat, de caramel et une foule d'autres mélanges délicieux bouillonnant sur des fourneaux, tandis que des hommes et des femmes en blouse blanche circulaient de chaudron en chaudron, goûtant, mélangeant, concoctant leurs merveilleuses trouvailles. Je me voyais moi-même travaillant dans un de ces labos et, un beau jour, je mettais au point une friandise d'un goût si délicieux que je l'empoignais au creux de ma main, sortais du labo, me ruais dans le couloir, et me précipitais droit chez M. Cadbury en personne. « J'ai trouvé, monsieur! hur-

lais-je en posant le chocolat devant lui. C'est fantastique! Fabuleux! Prodigieux! Irrésistible!» Lentement,
le grand homme ramassait entre ses doigts le chocolat
que je venais d'inventer, en prenait une petite bouchée,
la faisait rouler dans sa bouche. Et brusquement, il
bondissait de son fauteuil en criant : «Vous avez réussi!
Vous avez trouvé! C'est un miracle!» Il me donnait
une grande claque dans le dos et se remettait à
vociférer : «Nous en vendrons des millions! Nous
allons en inonder le monde entier! Comment avez-vous
réussi pareil exploit? Je double votre salaire!»

C'était grisant de s'abandonner à ce genre de rêve-
ries et je sais pertinemment que, trente-cinq ans plus
tard, à la recherche d'une histoire pour mon deuxième
livre d'enfants, je me rappelai ces petites boîtes en
carton gris et les chocolats nouvellement inventés
qu'elles contenaient, et je commençai à écrire un livre
appelé : «Charlie et la Chocolaterie».

*Saturday, first I broke it in half, and only half came
out, then the other bit came out, it was my dog tooth, and
it was a very bad one, I am glad it came out.
Will; you please send me a few sweets because
we had none, last week, I am sorry my writing
is so untidy, but I have not much time on week
Days.*

*Samedi, d'abord je l'ai cassée en deux et une moitié seulement est
venue, et puis l'autre bout est venu aussi, et c'était une canine, et
comme elle était en très mauvais état, je suis bien content qu'elle
soit tombée. Est-ce que tu pourrais s'il te plait m'envoyer des
bonbons, parce qu'on en n'a pas eu du tout la semaine dernière.
Je suis désolé d'écrire si mal, mais je n'ai pas beaucoup de
temps les jours de la semaine.*

Corkers

Il y avait plus de trente maîtres à Repton, et la plupart incroyablement bornés, nuls, insipides, ne s'intéressaient pas à leurs élèves. Corkers, un vieux garçon excentrique, n'était ni borné ni insipide. Corkers était un charmeur, un immense bonhomme dégingandé avec des bajoues tombantes de bouledogue et des vêtements très sales. Il portait un pantalon de flanelle informe et une veste de tweed marron rapiécée de partout aux revers de laquelle s'accrochaient toujours des bribes d'aliments desséchés. Il était censé nous enseigner les mathématiques, mais en réalité il ne nous enseignait rien du tout et c'était chez lui un choix délibéré. Ses cours consistaient en une série illimitée de divertissements de son cru, conçus pour éviter tout débat au sujet des mathématiques. De sa démarche pesante, il entrait dans la salle de classe, s'asseyait derrière son bureau et parcourait l'assemblée d'un regard flamboyant. Nous attendions, sur le gril, nous demandant ce qu'il allait encore inventer.

— Nous allons jeter un coup d'œil aux mots croisés du *Times,* disait-il en sortant de la poche de sa veste un journal chiffonné. Ça sera quand même beaucoup plus drôle que de patauger dans des chiffres. Je déteste les chiffres. Je ne connais rien de plus ennuyeux au monde.

— Alors pourquoi vous enseignez les mathématiques, monsieur? lui demanda un élève.

— Je ne les enseigne pas, répliqua-t-il avec un petit sourire en coin. Je fais semblant seulement.

Corkers entreprenait alors de dessiner la grille de mots croisés au tableau noir, et nous passions le reste du cours à essayer de la remplir tandis qu'il nous lisait les définitions. Nous prenions à ce jeu le plus vif plaisir.

La seule fois dont je me souvienne où il aborda vaguement le domaine des mathématiques, ce fut pour sortir de sa poche un carré de papier de soie qu'il agita en l'air.

— Regardez-moi ça, dit-il. Ce papier de soie a un dixième de millimètre d'épaisseur. Je le plie une fois, le mettant en double. Je le replie encore, obtenant quatre fois son épaisseur. Eh bien, je donnerai une grosse barre de chocolat au lait et aux noisettes de Cadbury à celui qui me dira, à trente centimètres près, quelle épaisseur il aura si je le plie cinquante fois.

Tous, nous levâmes la main et répondîmes au hasard : « Soixante centimètres, monsieur... Quatre-

vingt-dix centimètres, monsieur... Cinq mètres, monsieur... Neuf centimètres, monsieur... »

– Vous n'êtes vraiment pas très malins, n'est-ce pas? dit Corkers. La réponse, c'est la distance de la Terre à la Lune. Voilà l'épaisseur qu'il aurait.

Émerveillés par tant de savoir, nous lui demandâmes de nous en administrer la preuve au tableau noir, ce qu'il fit.

Une autre fois, il apporta en classe une couleuvre d'environ soixante centimètres de long et insista pour que chacun d'entre nous la tienne entre ses mains afin de nous guérir à jamais, expliqua-t-il, de la peur que nous inspiraient les serpents. Ce fut l'occasion d'un beau remue-ménage.

Je ne peux me rappeler les milliers d'idées géniales qui venaient au vieux Corkers pour faire régner la bonne humeur dans sa classe, mais il y a une chose que je n'oublierai jamais et qui se répétait à peu près toutes les trois semaines à chaque trimestre. Il était en train de nous entretenir d'un sujet ou d'un autre, quand soudain il s'interrompait au milieu d'une phrase, et une expression de douleur intense assombrissait tous ses traits. Il relevait alors la tête, son grand nez commençait à renifler l'air ambiant et il s'écriait d'une voix forte :

– Bon sang, c'en est trop! C'est aller trop loin! C'est intolérable!

Nous savions exactement ce qui allait venir ensuite, mais nous ne manquions jamais de jouer le jeu avec lui.

– Qu'y a-t-il, monsieur? Que s'est-il passé? Vous ne vous sentez pas bien, monsieur? Vous êtes malade?

Son grand nez se levait de nouveau, il tournait avec lenteur la tête d'un côté et de l'autre, reniflant délicatement comme s'il cherchait à déceler une fuite de gaz ou une odeur de brûlé.

— Je ne peux pas tolérer ça! s'exclamait-il. C'est insupportable!

— Mais qu'est-ce qu'il y a, monsieur?

— Je vais vous le dire, ce qu'il y a! hurlait alors Corkers. Quelqu'un a pété!

— Oh! non, monsieur!... Pas moi, monsieur... Pas moi monsieur!... Aucun d'entre nous, monsieur!

Thanks awfully for the Tablets. I took some a few times and the indigestion has stopped now, they are jolly good

Merci beaucoup pour les tablettes. J'en ai prises plusieurs fois et je n'ai plus d'indigestion maintenant, elles sont drôlement efficaces

A ce stade, il se levait majestueusement et vociférait à pleins poumons!

— Faites un courant d'air! Ouvrez la porte! Ouvrez toutes les fenêtres!

C'était le signal d'une activité frénétique, et tous les élèves dans la classe se levaient d'un bond. L'opération étant parfaitement répétée, chacun d'entre nous savait le rôle qu'il avait à jouer. Quatre garçons se ruaient sur la porte et la faisaient énergiquement pivoter sur ses gonds d'avant en arrière. Les autres s'élançaient vers les vastes fenêtres qui occupaient tout un pan de mur, ouvraient à la volée les panneaux inférieurs, puis, au moyen d'une longue perche munie d'un crochet, faisaient jouer les loquets des panneaux supérieurs, après quoi ils se penchaient au dehors pour aspirer de grandes goulées d'air en arborant des mines affligées. Pendant ce temps, Corkers lui-même, serein, sortait de la salle en marmonnant :

– C'est la faute du chou! Avec tous ces choux infects et ces choux de Bruxelles dont ils vous bourrent ici, on explose comme un pétard!

Et on ne revoyait plus Corkers de la journée.

Les menus de l'école !

Fag

Je passai deux longues années à Repton comme
« fag », ce qui signifiait que j'étais le serviteur du chef
de la turne dans laquelle j'avais mon petit pupitre. Si le
chef de turne se trouvait être boazer d'une maison,
c'était pis pour moi, car les boazers constituaient une
engeance dangereuse. Au cours de mon second trimestre, j'eus la malchance d'être mis dans la turne du
prévôt de la maison, un certain Carleton, âgé de
dix-sept ans, odieux et arrogant. Carleton vous toisait
toujours du haut de sa grandeur, et même si vous étiez
de la même taille que lui, ce qui était mon cas, il
réussissait quand même à vous toiser de haut. Carleton
avait trois fags dans sa turne, et il nous terrifiait tous
les trois, en particulier le dimanche matin, car c'était
jour de grand nettoyage. Tous les fags dans toutes les
turnes devaient enlever leur veste, retrousser leurs
manches, aller chercher des seaux d'eau et des serpil-
lières et récurer la turne. Et quand je dis récurer,
j'entends par là, à peu de chose près, la stériliser. Il
nous fallait frotter par terre, laver les carreaux, asti-
quer la grille de la cheminée, épousseter les moulures,
essuyer les cadres des tableaux et ranger avec soin
toutes les crosses de hockey, les battes de cricket, les
parapluies.

I am enclosing a time exposure of a bit off our study. You can see the gramophone in the far corner.

Je t'envoie ci joint une pose d'un coin de notre salle d'étude. Tu peux apercevoir le gramophone au fond.

I dont think that I've told you what we do everyday sort of ting: the first bell goes at quarter-past seven, and the fag who is on water in each bedder, gets up and fills the cans with hot water, and closes the windows. then if he want to go to into bed again. the second cell goes at half past seven, and everyone must be down for prayers by quarter to eight. then we g to an hour ... th

Je ne pense pas que je t'ai dit ce qu'on faisait tous les jours : la première cloche sonne à sept heure un quart et le fag qui est de corvée d'eau dans chaque dortoir se lève et remplit les cuvettes d'eau chaude, et il ferme les fenêtres. Ensuite, s'il veut, il peut se recoucher. La deuxième cloche sonne a sept heures et demie et tout le monde doit être en bas pour la prière avant huit heures moins le quart. Ensuite, on…

Ce dimanche-là, nous avions passé toute la matinée à nous échiner pour nettoyer la turne de Carleton, lorsqu'il entra dans la pièce, juste avant le déjeuner, en disant :

– Vous avez eu assez de temps!

– Oui, Carleton, murmurâmes-nous tous les trois en tremblant.

Nous nous reculâmes, essoufflés par nos efforts conjugués, contraints comme toujours d'attendre et d'observer le terrible Carleton pendant qu'il passait son inspection rituelle. Pour commencer, il allait chercher dans un tiroir de son pupitre un gant de coton blanc qu'il enfilait cérémonieusement à sa main droite. Ensuite, prenant son temps, y mettant autant de soin qu'un chirurgien dans une salle d'opération, il se déplaçait lentement dans la pièce, promenant ses doigts gantés de blanc sur les moulures, le sommet des cadres de tableaux, la surface des pupitres et même sur les barreaux de la grille de cheminée. Toutes les trois ou quatre secondes, il approchait ses doigts blancs de son visage, à la recherche de traces de poussière, et nous l'observions tous les trois, osant à peine respirer, attendant le moment redouté où le grand homme s'immobiliserait pour vociférer :

– Ah! Qu'est-ce que je vois là!

Une expression de triomphe éclairait son visage et il dressait un index blanc sur lequel on apercevait une minuscule traînée de poussière grise, et il nous dévisageait de ses yeux bleu pâle, légèrement globuleux, en disant :

– Vous ne l'avez pas nettoyée, n'est-ce pas? Vous ne vous êtes même pas donné la peine de nettoyer ma turne correctement.

Pour nous qui avions passé la matinée entière à travailler comme des esclaves, ces mots étaient une insulte à la vérité.

– Nous avons tout nettoyé, Carleton, répondions-nous. Sans rien oublier.

– Dans ce cas, pourquoi ai-je de la poussière au bout du doigt? demandait Carleton en levant le menton pour nous toiser de tout son haut. C'est bien de la poussière, n'est-ce pas?

Nous nous avancions pour examiner la main gantée de blanc et la minuscule moucheture grisâtre au bout de l'index, et nous demeurions silencieux. Je mourais d'envie de lui faire remarquer qu'il était absolument impossible de nettoyer une pièce aussi utilisée que celle-ci au point de ne pas y laisser le moindre grain de poussière, mais ç'aurait été du suicide.

– L'un de vous conteste-t-il le fait que c'est bien de la poussière? insistait Carleton, l'index toujours dressé. Si je me trompe, dites-le-moi donc.

– Ce n'est pas beaucoup de poussière, Carleton.

– Je ne vous ai pas demandé si c'était beaucoup de poussière ou pas beaucoup de poussière, répliquait Carleton. Je vous ai simplement demandé si c'était de la poussière. Est-ce que ça pourrait être, par exemple, de la limaille de fer ou de la poudre de riz?

– Non, Carleton.

– Ou de la poussière de diamant, peut-être?

– Non, Carleton.

– Alors, qu'est-ce que c'est?

– C'est... C'est de la poussière, Carleton.

– Merci, disait Carleton. Vous admettez enfin que vous n'avez pas nettoyé correctement ma turne. Par conséquent, je vous verrai tous les trois au vestiaire ce soir après les prières.

Les règles et les rituels qui régissaient la vie des fags à Repton étaient si compliqués que je pourrais en remplir tout un livre. Le boazer d'une maison, par exemple, pouvait obliger n'importe quel fag dépendant de lui à obéir à ses ordres. De quelque endroit du bâtiment, le vestiaire, la cour ou un couloir, il pouvait hurler « fag! » à pleins poumons et tous les fags du collège devaient laisser tomber immédiatement leur tâche et se ruer vers l'origine de la voix. Une cavalcade effrénée se déclenchait toujours lorsque le mot « f-a-a-a-g » retentissait dans la maison car le dernier arrivé était invariablement choisi pour accomplir la corvée subalterne ou déplaisante imposée par le boazer.

Durant mon premier trimestre, un jour, juste avant le déjeuner, je me trouvais au vestiaire en train de décrotter les souliers de foot du titulaire de ma turne, dont les semelles étaient incrustées de boue, lorsque j'entendis le fameux appel, « f-a-a-a-g! » au loin, à l'autre bout de la maison. Je laissai tout tomber et me mis à courir. Mais j'arrivai le dernier et le boazer qui avait appelé, un robuste athlète du nom de Wilberforce, déclara :

— Dahl, viens ici.

Les autres fags disparurent à la vitesse de la lumière et je m'avançai sans enthousiasme pour recevoir mes ordres.

— Va chauffer mon siège dans les gogues, me dit Wilberforce. Et qu'il soit bien chaud!

You seem to have been doing a lot of painting ; but when you paint the lav. dont paint the seat, leaving it wet and sticky, or some unfortunate person who has not noticed it, will adhere to it, and unless his bottom is cut off, it will be necessary for him to go about with the seat sticking behind him always, he will be doomed to stay where he is

J'ai l'impression que tu as beaucoup peint ; mais quand tu peindras les cabinets, ne peins pas le siège, le laissant humide et collant, sinon quelque malheureux qui n'a rien remarqué, va y adhérer et à moins qu'on lui coupe le derrière ou à moins qu'il préfère se ballader partout avec le siège dépassant derrière lui, il sera condamné à rester où il est

Je n'avais pas la moindre idée de ce qu'il entendait par là, mais je savais déjà qu'il valait mieux ne jamais poser de question à un boazer. Je m'éloignai donc précipitamment et allai demander à un autre fag la signification de cet ordre étrange. C'était simple : le boazer avait envie d'aller aux toilettes, mais voulait qu'on lui réchauffe le siège avant de s'y asseoir. Les six latrines de la maison, toutes dépourvues de portes, étaient situées dans un appentis non chauffé et par une froide journée d'hiver, on pouvait attraper des engelures si on s'y attardait trop. Il faisait une température polaire ce jour-là et, pataugeant dans la neige, je me dirigeai vers l'appentis et entrai dans les latrines numéro 1, réservées, je le savais, aux boazers. Je commençai par essuyer avec mon mouchoir le siège couvert de givre, puis je baissai mon pantalon et m'assis. Je restai là à attendre par un froid glacial quinze bonnes minutes avant que Wilberforce n'arrive enfin.

– Tu as enlevé la glace? demanda-t-il.

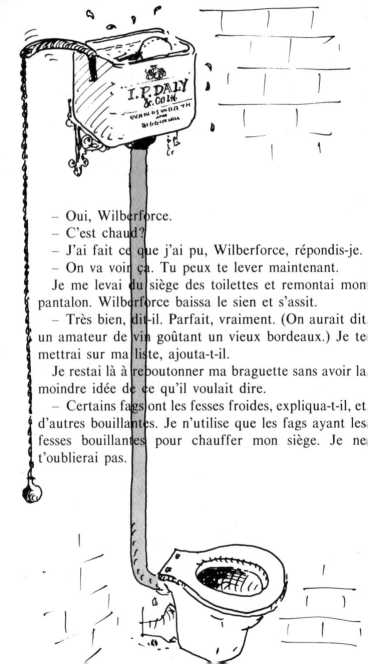

– Oui, Wilberforce.

– C'est chaud?

– J'ai fait ce que j'ai pu, Wilberforce, répondis-je.

– On va voir ça. Tu peux te lever maintenant.

Je me levai du siège des toilettes et remontai mon pantalon. Wilberforce baissa le sien et s'assit.

– Très bien, dit-il. Parfait, vraiment. (On aurait dit un amateur de vin goûtant un vieux bordeaux.) Je te mettrai sur ma liste, ajouta-t-il.

Je restai là à reboutonner ma braguette sans avoir la moindre idée de ce qu'il voulait dire.

– Certains fags ont les fesses froides, expliqua-t-il, et d'autres bouillantes. Je n'utilise que les fags ayant les fesses bouillantes pour chauffer mon siège. Je ne t'oublierai pas.

Il tint parole. A partir de ce jour-là, et durant tout l'hiver, je devins le chauffeur de siège attitré de Wilberforce, et du coup, j'avais toujours un livre dans la poche de ma veste afin de passer le temps durant ces longues séances de réchauffage. J'ai dû lire les œuvres complètes de Dickens, assis sur la lunette des cabinets de ce boazer, durant mon premier hiver à Repton.

Les jeux
et la photographie

Mon don pour les jeux a toujours été une surprise pour moi. Ce qui me surprenait plus encore, c'était d'exceller particulièrement dans deux d'entre eux. L'un était la pelote, l'autre le squash.

La pelote, dont nombre d'entre vous n'ont sans doute jamais entendu parler, était prise très au sérieux à Repton, et nous disposions d'une douzaine de courts protégés d'une verrière et toujours parfaitement entretenus. Nous pratiquions la pelote d'Eton, qui est toujours jouée par quatre personnes, deux dans chaque camp, et consiste principalement à frapper de la main gantée une petite balle dure recouverte de cuir blanc. Les Américains ont un jeu similaire qu'ils appellent le handball, mais la pelote d'Eton est beaucoup plus compliquée, car le mur comporte toutes sortes de niches et de parties saillantes qui contribuent à en faire un jeu subtil et délicat.

La pelote est probablement le jeu de balle le plus rapide au monde, beaucoup plus rapide que le squash, et la petite balle rebondit tout autour du court à une telle vitesse que parfois on la voit à peine. Il faut un œil rapide, des poignets robustes et des mains extrêmement agiles pour bien jouer à la pelote et ce jeu me passionna tout de suite. Vous aurez peut-être du mal à le croire, mais je fis rapidement de tels progrès que je remportai le championnat junior et senior de l'école au cours de la même année, celle de mes quinze ans. Bientôt je me vis attribuer le merveilleux titre de « capitaine de pelote » et je me rendis avec mon équipe à d'autres écoles comme Shrewsbury et Uppingham pour y disputer des matches. J'adorais ça. C'était un jeu sans contact physique où seules comptaient la rapidité de l'œil et l'agilité des pieds.

L'équipe de pelote
de Priory House.

Le capitaine de n'importe quel jeu à Repton était un personnage important. C'était lui qui choisissait les membres de son équipe pour les matches. Lui, et lui seul, pouvait décerner les « couleurs » aux autres. Pour ce faire, il se dirigeait vers le garçon choisi après un match et lui serrait la main en disant : « Hip! hip! Bienvenue dans l'équipe! » C'était là une formule magique. Grâce à elle, le nouvel équipier avait droit à toutes sortes de privilèges, y compris un ruban de couleur différente autour de son canotier, des tresses fantaisie pour border son blazer, des vêtements de sport d'une couleur différente, et une foule d'autres détails qui vous faisaient glorieusement ressortir parmi la foule de vos camarades.

Le capitaine de n'importe quel sport : football, cricket, pelote ou squash, avait nombre d'autres obligations. C'était lui qui fixait au tableau d'affichage de l'école la notice annonçant les dates et où son équipe devait disputer les prochains matches. C'était lui qui écrivait aux autres écoles pour convenir du jour des rencontres. Lui, et lui seul, avait autorité pour inviter tel ou tel maître à jouer contre lui et son équipe certains après-midi. Toutes ces responsabilités me furent confiées lorsque je devins capitaine de pelote. Il y avait néanmoins un hic. Il était plus ou moins admis qu'un capitaine était nommé boazer en reconnaissance de ses talents – sinon boazer de l'école, du moins boazer d'une maison. Mais j'étais mal vu des autorités. On ne pouvait me faire confiance. Je ne respectais pas les règles. J'étais imprévisible. Je n'avais donc pas l'étoffe d'un boazer. Il n'y avait aucune chance pour qu'ils acceptent de me nommer boazer d'une maison, encore moins boazer de l'école. Certains sont nés pour exercer le pouvoir, assumer une autorité. Je n'étais pas de ceux-là. Je ne fis aucune objection aux explications du préfet des études à ce sujet. J'aurais fait un déplorable boazer. J'aurais trahi le principe même de cette noble institution en refusant de rosser les fags. Je fus sans doute l'unique capitaine d'un sport quelconque à n'être jamais devenu boazer à Repton. Je fus très certainement l'unique double capitaine à ne pas accéder à ce grade, car j'étais également capitaine de squash. Et, accumulant les titres de gloire, je faisais en plus partie de l'équipe de football de l'école.

Un garçon doué pour les sports est en général traité fort civilement par les maîtres dans un collège privé anglais. De la même façon, pourrait-on dire, les Grecs de l'Antiquité vénéraient leurs athlètes et leur érigeaient des statues de marbre. Les athlètes étaient des demi-dieux, des êtres d'exception. Ils pouvaient accomplir de prestigieux exploits, inaccessibles au commun des mortels. De nos jours encore, les champions de football, de base-ball, de course à pied, ainsi que tous les autres grands sportifs, jouissent d'un grand prestige populaire et les publicistes se servent d'eux pour vendre les céréales du petit déjeuner. Je n'ai jamais atteint ce stade et, si vous voulez vraiment le savoir, je m'en réjouis.

Comme j'adorais le sport et les jeux, la vie pour moi à Repton n'était pas totalement dénuée de plaisir. Il est toujours amusant de pratiquer un sport à l'école si l'on a des aptitudes particulières, mais dans le cas contraire, c'est un cauchemar. J'avais la chance d'être parmi les meilleurs, et tous ces après-midi passés sur les terrains de jeux et sur les courts de pelote et de squash faisaient oublier un peu la grisaille et la mélancolie des journées.

Une autre activité me procura le plus vif plaisir dans ce collège : la photographie. J'étais le seul élève à m'y exercer sérieusement et, il y a cinquante ans, c'était loin d'être aussi simple que maintenant. J'avais aménagé une petite chambre noire dans un coin de la salle de musique, et c'était là que je chargeais mes plaques, développais mes négatifs et les agrandissais.

Notre professeur d'art était un homme timide et

réservé du nom d'Arthur Norris, qui ne se mêlait guère aux autres professeurs. Arthur Norris et moi devînmes de bons amis et, au cours de ma dernière année au collège, il organisa une exposition de mes photographies. Il consacra tout le local de l'atelier d'art à ce projet et m'aida à faire encadrer mes agrandissements. L'exposition eut pas mal de succès, et des maîtres qui ne m'avaient pratiquement pas adressé la parole pendant quatre ans venaient me dire : « C'est tout à fait extraordinaire... Nous ne savions pas que nous avions un artiste parmi nous... Elles sont à vendre ? »

Arthur Norris m'offrait du thé et des gâteaux dans son appartement et me parlait de peintres comme Cézanne, Manet, Matisse, et j'ai l'impression que ce fut là, en prenant le thé avec l'affable M. Norris dans son appartement, le dimanche après-midi, que naquit ma grande passion pour les peintres et pour leur œuvre.

Une fois sorti du collège, je continuai pendant longtemps à faire de la photographie et je devins un spécialiste averti. De nos jours, nanti d'un appareil photo 35 mm avec posemètre incorporé, n'importe qui peut passer pour un expert, mais il y a un demi-siècle, le problème était différent. Je me servais de plaques de verre et non de pellicule, et, avant toute chose, chacune d'entre elles devait être chargée dans son étui individuel, dans la chambre noire. J'emportais en général six plaques chargées, et je ne pouvais donc prendre que six clichés; appuyer sur l'obturateur ne fût-ce qu'une fois demandait réflexion, et toute décision devait être mûrement pesée.

Peut-être ne me croirez-vous pas, mais à l'âge de dix-huit ans, il m'est arrivé de gagner des prix et des médailles à la Royal Photographic Society de Londres, ainsi que dans d'autres endroits, comme la Société Photographique de Hollande. Je me suis même vu décerner une superbe médaille de bronze par la Société Photographique Égyptienne au Caire, et je possède encore le cliché qui m'a valu cette distinction. C'est une photo de l'une des sept Merveilles du monde, selon l'expression consacrée, l'arche de Ctesiphon, en Iraq. C'est la plus grande arche d'une seule portée du monde et j'ai pris la photo alors que je suivais là-bas une période d'entraînement sur une base de la R.A.F. en 1940. Je volais en solo au-dessus du désert, aux commandes d'un biplan Hawker Hart, et j'avais mon appareil photo accroché autour du cou. Lorsque j'aperçus cette arche gigantesque isolée au milieu d'une mer de sable, je me penchai sur l'aile et, retenu par mon harnais, je lâchai le manche à balai pour cadrer et appuyer sur l'obturateur. La photo fut très réussie.

Adieu au collège

Au cours de ma dernière année à Repton, ma mère me demanda :

– Aimerais-tu aller à Oxford ou à Cambridge lorsque tu quitteras le collège?

Il n'était pas difficile à l'époque d'entrer dans l'une ou l'autre de ces grandes universités, du moment que vous en aviez les moyens.

– Non, merci, répondis-je. Une fois sorti du collège, je veux toute de suite travailler pour une compagnie qui m'enverra dans de merveilleux pays lointains comme l'Afrique ou la Chine.

Il ne faut pas oublier que les voyages aériens n'existaient pratiquement pas au début des années 30. De l'Angleterre, il fallait environ deux semaines de bateau pour gagner l'Afrique et environ cinq pour la Chine. C'étaient des contrées lointaines et magiques, et personne ne partait si loin pour y passer simplement des vacances. On y allait pour travailler. De nos jours, on peut se rendre n'importe où dans le monde en quelques heures, et plus rien n'est fabuleux. Mais c'était bien différent en 1933.

Au cours de mon dernier trimestre, je posai ma candidature pour un emploi, uniquement dans des firmes dont j'étais sûr qu'elles m'enverraient à l'étranger. Il s'agissait de la Shell Company (service Orient), de l'Imperial Chemicals (service Orient), et d'une compagnie finlandaise de charpente dont j'ai oublié le nom.

Ma candidature fut acceptée par l'Imperial Chemicals et par la compagnie finlandaise mais, pour je ne sais quelle raison, je voulais par-dessus tout entrer à la Shell. Lorsque le jour vint pour moi de me rendre à Londres pour m'y présenter, mon régent de maison me déclara que c'était ridicule de ma part de vouloir même essayer.

– La section Orient de la Shell, c'est la *crème de la crème* [1], dit-il. Il y aura au moins cent candidats et pas plus de cinq postes disponibles. Personne n'a aucune chance, à moins d'avoir été prévot du collège ou prévot de la maison, et tu n'es même pas préfet de classe!

Il avait raison en ce qui concernait le nombre de candidats. Cent sept jeunes gens attendaient d'être interviewés lorsque j'arrivai au bureau central de la Shell Company à Londres. Et il y avait sept postes à pourvoir. Je vous en prie, ne me demandez pas comment j'obtins un de ces postes, car moi-même je l'ignore. En tout cas, je l'obtins bel et bien et lorsqu'à mon retour au collège, j'annonçai la bonne nouvelle à mon régent de maison, il n'éprouva pas le besoin de me congratuler ou de me serrer chaleureusement la main. Se détournant, il marmonna :

– Tout ce que je peux dire, c'est que je suis bien content de ne pas posséder d'actions de la Shell.

1. En français dans le texte (*N.d.T.*).

Engagé par la Shell !

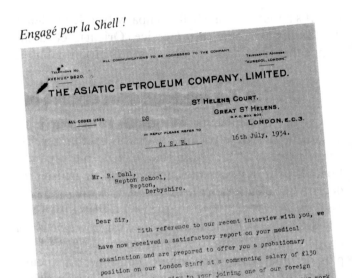

Je ne me souciais plus de ce que pouvait bien penser mon régent de maison. J'étais paré. J'avais une carrière. C'était le rêve! J'allais quitter le collège à jamais en juillet 1933 et entrer à la Shell Company deux mois plus tard, en septembre. J'aurais exactement dix-huit ans. Je serais nommé stagiaire au service Orient au salaire de cinq livres par semaine.

Cher monsieur,

A la suite de notre récent entretien avec vous, nous avons l'honneur de vous signaler que le rapport résultant de l'examen médical que vous avez subi est satisfaisant et que nous sommes disposés à vous prendre à l'essai à notre bureau central de Londres au salaire initial de 130 livres par an. Nous envisageons après ce stage probatoire de vous envoyer dans l'une de nos succursales à l'étranger dès que vous aurez atteint l'âge de 21 ans, si votre travail et votre assiduité au bureau de Londres ont répondu à notre attente et si les dispositions que vous aurez montrées durant cette période probatoire correspondent à celles des candidats que nous envisageons d'affecter à notre service étranger.

En vue d'éviter tout malentendu, nous tenons à vous rappeler, en nous référant aux termes de l'entretien précité, qu'au cas où nous estimerions nécessaire de vous confier un poste dans notre firme hors de l'Europe...

Cet été-là, pour la première fois de ma vie, je n'accompagnai pas la famille en Norvège. Je ne sais pourquoi, mais il me semblait que je devais me livrer à une dernière escapade avant de devenir un homme d'affaires. Aussi, durant mon dernier trimestre, pendant que j'étais encore au collège, je m'inscrivis pour le mois d'août sur les listes d'une organisation appelée « Société d'Exploration des Collèges ». Le directeur avait accompagné le capitaine Scott lors de sa dernière expédition au pôle Sud, et il se proposait d'emmener un groupe d'élèves explorer Terre-Neuve durant les vacances d'été. Cela promettait d'être distrayant.

Je dis adieu à jamais à Repton sans le moindre regret et gagnai le Kent avec ma motocyclette. Cette splendide machine était une Ariel 500 CC que j'avais achetée l'année précédente pour dix-huit livres et, pendant mon dernier trimestre à Repton, je la gardai en secret dans un garage le long de la route de Wilmington à environ trois kilomètres du collège. Le dimanche, je me rendais à pied au garage et, affublé d'un casque, de lunettes, d'un vieil imperméable et de bottes en caoutchouc, j'explorais tout le Derbyshire. C'était amusant de traverser Repton dans un grondement de tonnerre sans être reconnu de personne, de frôler en trombe les maîtres qui déambulaient dans la rue ou de décrire des courbes autour des arrogants boazers du collège accomplissant leur promenade dominicale. Je tremble rétrospectivement à l'idée de ce qui serait arrivé si j'avais été démasqué, mais cela n'arriva jamais. Ainsi donc, le dernier jour du trimestre arrivé, je filai joyeusement comme une flèche, laissant à jamais derrière moi le collège. Je n'avais pas tout à fait dix-huit ans.

Je ne passai que deux jours à la maison avant de repartir pour Terre-Neuve avec les explorateurs des collèges. Notre navire quitta Liverpool au début d'août et il nous fallut six jours pour arriver à St Johns. Une trentaine de garçons de mon âge participaient à cette expédition, sous l'égide de quatre adultes expérimentés. Mais Terre-Neuve, ainsi que je pus sans délai le constater, n'était pas un pays bien séduisant. Pendant trois semaines, nous arpentâmes péniblement cette terre désolée en portant d'énormes charges sur notre dos. Nous trimbalions des tentes, des tapis de sol, des sacs de couchage, des casseroles, des provisions, des haches et tout ce dont on peut avoir besoin dans un pays inhabitable et inhospitalier, et dont il n'existait aucune carte. Mon propre sac, je le sais, pesait plus de trente kilos, et tous les matins il fallait qu'un camarade m'aide à le hisser sur mon dos. Nous vivions de pemmican et de lentilles, et les trente d'entre nous qui participèrent à ce que nous appelâmes la Longue

Marche, du nord au sud de l'île, aller et retour, souffrirent beaucoup du manque de nourriture. Je me rappelle parfaitement que nous nous livrâmes à des expériences en mangeant du lichen et de la mousse bouillis pour améliorer l'ordinaire. Mais ce fut une véritable aventure et j'en revins endurci, en pleine forme et prêt à affronter n'importe quoi.

Grand Falls
Terre-Neuve

Chère maman,
Cette lettre sera très courte. Nous nous apprêtons à partir pour le camp de base à quarante cinq kilomètres d'ici. Arrivés à St Johns, nous avons pris immédiatement le train pour Grand Falls dans la soirée vers 5 heures. Le pays autour de St Johns ressemblait beaucoup à la Norvège mais après un certain temps est devenu beaucoup plus touffu. Nous

Suivirent alors deux années d'entraînement intensif à la Shell Company en Angleterre. Nous étions sept stagiaires cette année-là et chacun d'entre nous était préparé avec soin pour promouvoir la majesté de la compagnie dans un lointain pays tropical. Nous passâmes des semaines à la gigantesque raffinerie Shell de Haven où un instructeur nous enseigna tout ce qu'on pouvait apprendre sur le mazout, l'huile lourde, le gasoil, l'huile de graissage, le pétrole et l'essence.

Après quoi, nous passâmes des mois au bureau central à Londres à apprendre le fonctionnement interne de la grande compagnie. J'habitais toujours à Bexley, dans le Kent, avec ma mère et mes trois sœurs et, tous les matins, six jours par semaine, samedi compris, je m'habillais sobrement d'un complet gris foncé, prenais mon petit déjeuner à 7 heures 45, puis, un feutre marron sur la tête et un parapluie roulé à la main, je montais à bord du train de 8 heures 15 à destination de Londres avec tout un essaim d'autres hommes d'affaires également vêtus de sombre. Je n'éprouvais aucune difficulté à me plier à leurs habitudes. Nous étions tous des personnages dignes et sérieux prenant le train pour gagner nos bureaux dans la Cité de Londres où chacun d'entre nous, du moins nous le pensions, s'occupait de haute finance et d'autres opérations économiques capitales. La plupart de mes compagnons étaient coiffés de melons, et quelques-uns comme moi portaient des feutres mous, mais pas un seul d'entre nous dans ce train, en cette année 1934, ne circulait tête nue. Cela ne se faisait pas. Et pas un d'entre nous, même par la journée la plus ensoleillée, ne se déplaçait sans son parapluie roulé. Cet objet était l'insigne de notre profession. Sans lui, nous nous sentions nus. C'était également un signe de respectabilité. Les cantonniers et les plombiers ne se rendaient jamais à leur travail munis d'un parapluie. Les hommes d'affaires, oui.

J'étais heureux, vraiment heureux. Je commençais à me rendre compte que la vie était toute simple si l'on avait une routine à suivre avec des horaires fixes, un salaire fixe et un minimum d'occasions de penser de façon originale. La vie d'un écrivain est vraiment infernale comparée à celle d'un homme d'affaires. L'écrivain doit se forcer à travailler. Il doit s'imposer son propre horaire, et s'il ne va pas de la journée s'asseoir derrière son bureau, personne n'est là pour le lui reprocher. Si c'est un romancier, il vit dans la peur. Chaque journée nouvelle exige des idées nouvelles et il n'est jamais sûr de les trouver au rendez-vous. Après deux heures passées à écrire une œuvre de fiction, le romancier est absolument vidé de sa substance. Pendant ces deux heures, il s'est trouvé ailleurs, à des kilomètres, dans un endroit différent, en compagnie de gens totalement différents, et l'effort qu'il doit fournir pour revenir dans son cadre habituel est épuisant. Il en éprouve presque un choc. L'écrivain sort hébété de son cabinet de travail. Il a envie de boire un verre. Il en a besoin. Le fait est que presque tous les romanciers dans le monde entier boivent davantage de whisky qu'il n'est bon pour leur santé. Ils boivent pour se donner confiance, espoir et courage. Il faut être fou pour devenir écrivain. Celui qui choisit cette profession n'a qu'une seule compensation : une absolue liberté. Il n'a pour seul maître que son âme, et c'est là pour lui, j'en suis sûr, un motif déterminant.

Nous étions fiers d'appartenir à la Shell. Après douze mois passés au bureau central, les stagiaires furent expédiés dans diverses succursales de la maison en Angleterre pour étudier l'art de la vente. Je fus envoyé dans le Somerset et y passai plusieurs glorieuses semaines à ravitailler en pétrole des vieilles dames dans les villages isolés. Mon camion citerne était muni d'un robinet à l'arrière, et quand j'arrivais à Shepton Mallet, ou Midsomer Norton, ou Peasedown St John, ou Hinton Blewett, ou Temple Cloud, ou Chew Magna, ou Huish Champflower, les vieilles dames et les jeunes filles, entendant le ronflement de mon moteur, sortaient de leurs cottages munies de brocs et de seaux, afin d'acheter un gallon de pétrole pour leurs lampes et leurs radiateurs. Les tournées de ce genre sont distrayantes pour un jeune garçon. Personne ne risque de sombrer dans la dépression nerveuse ou de succomber à une crise cardiaque en vendant du pétrole à d'aimables campagnards du Somerset par une belle journée d'été.

Puis soudain, en 1936, je fus appelé au bureau central de Londres. Un des directeurs souhaitait me voir.

– Nous vous envoyons en Égypte, me déclara-t-il. Ce sera un contrat de trois ans, suivi d'un congé de six mois. Tenez-vous prêt à partir d'ici une semaine.

– Oh, mais monsieur! m'exclamai-je, pas l'Égypte! Je n'ai vraiment pas envie d'aller en Égypte!

Le grand homme eut un haut-le-corps dans son fauteuil, comme si je lui avais expédié en pleine figure une platée d'œufs pochés.

– L'Égypte, commença-t-il d'une voix lente, est l'un de nos secteurs les plus agréables et les plus importants. C'est une faveur que nous vous accordons en vous envoyant là plutôt que dans un endroit infesté de moustiques en plein pays marécageux.

Je demeurai silencieux.

– Puis-je vous demander pourquoi vous ne voulez pas aller en Égypte? reprit-il.

Je savais parfaitement bien pourquoi, mais ne voyais pas comment le lui expliquer. Ce à quoi j'aspirais, c'était la jungle, les lions, les éléphants, les hauts cocotiers se balançant au-dessus de plages argentées, et l'Égypte était dépourvue de tout cela. L'Égypte était un pays désertique. Une terre nue, sableuse, pleine de tombes, de reliques et d'Égyptiens et rien de tout cela ne m'inspirait.

– Qu'est-ce que vous reprochez à l'Égypte? insista le directeur.

– C'est... c'est... c'est... bégayai-je, c'est trop poussiéreux, monsieur.

Il me dévisagea avec stupeur.

– Trop quoi? s'exclama-t-il.

– Poussiéreux, dis-je.

– Poussiéreux! hurla-t-il. Trop poussiéreux! Je n'ai jamais entendu une telle absurdité!

Un long silence s'ensuivit. Il allait me dire, c'était certain, de prendre mon manteau et mon chapeau et de quitter l'immeuble à jamais. Mais il n'en fit rien. C'était un homme d'une grande gentillesse qui s'appelait M. Godber. Il eut un profond soupir et se passa une main sur les yeux.

– Très bien, dit-il, comme vous voudrez. Redfearn ira en Égypte à votre place et vous devrez accepter le prochain poste que l'on vous offrira, poussiéreux ou pas. Comprenez-vous?

– Oui, monsieur, je me rends compte.

– Si le prochain poste vacant se trouve être en Sibérie, il vous faudra le prendre.

– Je comprends fort bien, monsieur, lui dis-je. Et merci infiniment.

Moins d'une semaine plus tard, M. Godber me convoqua de nouveau dans son bureau.

– Vous partez en Afrique orientale, m'annonça-t-il.

– Hourrah! vociférai-je en sautant de joie. C'est merveilleux, monsieur! C'est fantastique! Formidable!

Le grand homme sourit.

– Un pays très poussiéreux également, dit-il.

– Des lions! m'écriai-je. Et des éléphants, des girafes, des cocotiers partout!

– Votre bateau part de Londres dans six jours, reprit-il. Vous débarquerez à Mombasa. Votre salaire sera de cinq cents livres par an et vous resterez là-bas trois ans.

J'avais vingt ans. J'allais m'embarquer pour l'Afrique orientale où je déambulerais en short kaki, coiffé d'un casque colonial. Je nageais en pleine extase. Je me précipitai à la maison pour prévenir ma mère.

J'étais son fils unique et nous étions très proches l'un de l'autre. La plupart des mères, confrontées à une situation de cet ordre, auraient laissé percer une certaine détresse. Trois ans, c'est long, et l'Afrique était bien loin. Il n'y aurait aucune visite durant cette période. Mais ma mère se garda de manifester la moindre émotion susceptible de ternir ma joie.

– Oh, bravo mon petit! s'écria-t-elle. Voilà une merveilleuse nouvelle! Et c'est justement là que tu voulais aller, n'est-ce pas?

Maman, 1936.

La famille tout entière m'accompagna à Londres pour assister à mon embarquement. C'était pour un jeune homme une aventure extraordinaire à cette époque que de partir travailler en Afrique. Le voyage à lui seul devait durer deux semaines, et nous allions naviguer dans le golfe de Gascogne, franchir Gibraltar, traverser la Méditerranée, passer par le canal de Suez et la mer Rouge, faire étape à Aden et arriver enfin à Mombasa. Quelle perspective enivrante! Je partais pour le pays des palmiers et des cocotiers, des récifs de corail, des lions, des éléphants et des serpents à la morsure mortelle; un chasseur blanc qui avait vécu dix ans à Mwanza m'avait dit que si l'on était mordu par un mamba noir, on mourait dans l'heure en se tordant de souffrance, l'écume aux lèvres. Mon impatience ne connaissait pas de bornes.

Je l'ignorais certes à ce moment-là, mais en vérité je partais pour une période bien plus longue que les trois années prévues, car la Deuxième Guerre mondiale allait éclater avant qu'elles ne se fussent écoulées. Je n'en vécus pas moins auparavant mon aventure africaine. J'eus droit à la chaleur torride, aux crocodiles, aux serpents, aux longs safaris à l'intérieur du pays, vendant le pétrole de la Shell aux hommes qui dirigeaient les mines de diamant et les plantations de sisal. J'appris comment fonctionnait une extraordinaire machine appelée une décortiqueuse (un nom qui m'a toujours enchanté), qui déchiquetait pour les transformer en fibres les grandes feuilles épaisses des sisals. J'appris à parler le swahili et à secouer mes bottes le matin pour en faire tomber les scorpions. J'appris quel effet cela faisait d'attraper la malaria et d'avoir quarante de fièvre pendant trois jours, et quand la saison des pluies arriva, que des trombes d'eau inondèrent les petites routes de terre, j'appris à passer des nuits suffocantes à l'arrière d'une station-wagon dont j'avais relevé toutes les vitres pour me protéger des maraudeurs de la jungle. Surtout, j'appris à me débrouiller tout seul comme aucun jeune n'aura jamais la moindre chance de le faire en restant au cœur de la civilisation.

Quand la guerre éclata en 1939, je me trouvais à Dar es-Salam et, de là, je gagnai Nairobi pour m'engager dans la R.A.F. Six mois plus tard, j'étais pilote de chasse et pilotais des Hurricanes tout autour de la Méditerranée. Je volai au-dessus du désert de Libye, au-dessus de la Grèce, de la Palestine, de la Syrie, de l'Iraq et de l'Égypte. J'abattis quelques avions allemands et, abattu moi-même en flammes, réussis à m'extraire de mon appareil et fus sauvé par un groupe de courageux soldats rampant à plat ventre dans le sable. Je passai six mois à l'hôpital d'Alexandrie et lorsque j'en sortis, je repris l'air.

Mais tout cela est une autre affaire, sans rapport avec l'enfance, l'école, les boules magiques, les cadavres de souris, les boazers ou les grandes vacances dans les îles de Norvège. C'est une histoire totalement différente et, si tout va bien, je me hasarderai peut-être à la raconter un de ces jours.

Table

folio junior

La première collection de poche illustrée pour la jeunesse
Plus de 500 titres disponibles qui vous permettront de découvrir...

la littérature classique

Andersen, Hans Christian
La reine des neiges

Anonymes
Ali Baba et les quarante voleurs
Aventures du baron de Münchhausen
Histoire d'Aladdin ou la lampe merveilleuse
Histoire de Sindbad le marin
Le petit bossu
Le roman de Renart I
Le roman de Renart II

Beecher-Stowe, Harriet
La case de l'oncle Tom

Burnett, Frances Hudges
Le petit lord Fauntleroy

Carroll, Lewis
Alice au pays des merveilles
De l'autre côté du miroir et ce qu'Alice y trouva

Collodi, Carlo
Pinocchio

Cooper, James Fenimore
Le dernier des mohicans

Daudet, Alphonse
La dernière classe et autres contes du lundi
Lettres de mon moulin
Le petit Chose
Tartarin de Tarascon

Gautier, Théophile
Le roman de la momie

Grimm
Hans-mon-hérisson
et treize autres contes
Les trois plumes
et douze autres contes

La Fontaine, Jean de
Le loup et l'agneau et autres fables

Malot, Hector
En famille, *t.I*
En famille, *t.II*
Sans famille, *t.I*
Sans famille, *t.II*

Mérimée, Prosper
Colomba

Perrault, Charles
Contes de ma mère l'Oye

des romans contemporains
français et étrangers

Asturias, Miguel Angel
L'homme qui avait tout tout tout

Aymé, Marcel
Les bottes de sept lieues
Les contes bleus du chat perché
Les contes rouges du chat perché

Bohneur, Gaston
Tournebelle

Bosco, Henri
L'âne culotte
L'enfant et la rivière
Le renard dans l'île

Buisson, Virginie
L'Algérie ou la mort des autres

Buzzati, Dino
Le chien qui a vu Dieu
La fameuse invasion de la Sicile par les ours

Campbell, Reginald
Sa majesté le tigre

Capote, Truman
L'invité d'un jour

Cendrars, Blaise
Petits contes nègres pour les enfants des Blancs

Coué, Jean
L'homme de la rivière Kwaï
Kopoli, le renne guide

Dhôtel, André
L'enfant qui disait n'importe quoi
Le pays où l'on n'arrive jamais

Fallet, René
Bulle ou la voix de l'océan

Faulkner, William
L'arbre aux souhaits

Fon Eisen, Anthony
Le prince d'Omeyya

Forsyth, Frederick
Le berger

Frère, Maud
Vacances secrètes

Gamarra, Pierre
Six colonnes à la une

Golding, William
Sa majesté des mouches

Gordon, Donald
Alerte à Mach 3

Gripari, Pierre
La sorcière de la rue Mouffetard
et autres contes de la rue Broca, t.I

Le gentil petit diable
et autres contes de la rue Broca, t.II

des textes inédits français et étrangers

... et de jouer et trembler avec les Livres dont VOUS êtes le héros

Série **La Voie du Tigre**
par Mark Smith et Jamie Thomson

La Vengeance du Ninja
Les Parchemins de Kettsuin
L'Usurpateur d'Irsmun

Série **Sorcellerie!**
par Steve Jackson

Les Collines Maléfiques
La Cité des Pièges
Les Sept Serpents
La Couronne des Rois

Série **Loup*Ardent**
par J. H. Brennan

La Horde des Démons
Les Cryptes de la Terreur
L'Ultime Combat de la Horde
Les Maîtres du Mal

Série **Les Portes Interdites**
par Ian et Clive Bailey
L'Horreur dans la Vallée
Terreurs hors du Temps

Série **Loup Solitaire**
par Joe Dever et Gary Chalk

Les Maîtres des Ténèbres
La Traversée Infernale
Les Grottes de Kalte
Le Gouffre Maudit
Le Tyran du Désert
La Pierre de la Sagesse

Série **Astre d'Or**
par Ian Page et Joe Dever

Le Sorcier Majdar
La Cité Interdite
Le Royaume de l'Oubli

*Achevé d'imprimer
le 19 mai 1989
sur les presses de
l'Imprimerie Hérissey
à Évreux (Eure)*

N° d'imprimeur : 48360
Dépôt légal : mai 1989
1er dépôt légal dans la même collection : mars 1987
ISBN 2-07-033393-0

Imprimé en France